Dúnmb

Dúnmharú sa Daingean

Éilís Ní Dhuibhne

COIS LIFE TEORANTA
BAILE ÁTHA CLIATH

An chéad chló 2000
© Éilís Ní Dhuibhne 2000

ISBN 1-901176-19-3

Clúdach: Eoin Stephens
Clóbhualadh: Criterion Press, Baile Átha Cliath

Tá Cois Life Teo. buíoch de Bhord na Leabhar Gaeilge agus den Chomhairle Ealaíon as a gcúnamh.

Cois Life Teo.
62 Páirc na Rós, Ascaill na Cille, Dún Laoghaire, Co. Bhaile Átha Cliath.
www.coislife.ie

Do Bho

1

Chuir Saoirse an pictiúr ar ais i mbút an Toyota agus thosaigh ag tiomáint abhaile ón Daingean go Dún Dearg. 'Site for Sale' an teideal a bhí ar an bpictiúr.

Tráthnóna ceathach i dtús mhí Aibreáin a bhí ann. Bhí an ghrian ag taitneamh go geal agus go gliondrach ar uairibh, agus ar uairibh eile bhí an bháisteach agus fiú amháin an sneachta ag stealladh anuas ó na flaithis.

Agus í ag dul trasna an chnoic idir an Daingean agus Dún Dearg, bhí uirthi tiomáint thart ar theach Phatsy Mhic Cárthaigh, cara léi. Bhí sí in ann an bothán beag a fheiceáil i bhfad uaithi agus í ag tiomáint, agus chonaic sí go raibh gluaisteán Phatsy páirceáilte lasmuigh. Stop sí ag an teach nuair a bhain sí amach é.

Bhí an doras ar leathadh agus isteach léi. Ní raibh Patsy sa chistin, ach bhí an raidió ar siúl. *The Arts' Show.* Bhí sé ceathrú tar éis a trí. Bhí Mike Murphy ag cur agallaimh ar fhear éigin faoi dhráma a bhí ar siúl i mBaile Átha Cliath.

'Overall I thought it was a very fine production,' arsa an fear. 'Some of the acting was a tiny bit shaky but some of it was brilliant, to compensate for that, as it were.'

'Olwen Fouere was absolutely wonderful, wasn't she? A truly outstanding performance!' arsa Mike Murphy.

Bhí fonn ar Shaoirse an raidió a mhúchadh. Thaitníodh *The Arts' Show* léi nuair a bhíodh sí ina cónaí i mBaile Átha Cliath, ach anseo chuir sé saghas masmais uirthi, mar a dhein a lán de na cláir ar an raidió agus ar an teilifís. I mBaile Átha Cliath, bhí tábhacht ag baint leis na cúrsaí sin, le drámaí agus leis na rudaí a bhí le rá ag daoine ina dtaobh, le cúrsaí polaitíochta, leis seo agus leis siúd. Ach anseo, ní raibh aon bhrí leo anseo, dar léi. Ní raibh tábhacht ar bith ag baint leo. Bhí siad cosúil leis na héadaí áiféiseacha faiseanta a chaith daoine ar Shráid Grafton. Níor oir siad don áit seo.

Ba iad sin na smaointe a bhí ag gabháil trína ceann agus í ag dul isteach sa cheardlann.

Bhí Patsy ina suí ag an roth potaireachta, a lámh ar phota mór a bhí leathchasta aici. Bhí sí gléasta ina geansaí dubh agus scaif oráiste timpeall ar a muineál aici.

Ach bhí rud éigin aisteach ag baint léi.

'Hi, Patsy,' arsa Saoirse. 'Bhí mé ag tiomáint thar bráid agus bhuail mé isteach.'

Is ansin a thuig Saoirse cad a bhí aisteach. Ní raibh an roth ag bogadh.

'Patsy!' arsa Saoirse. 'Patsy?'

Níor dhúirt Patsy faic.

D'fhan sí ina suí ag an mbinse, ar an gcathaoir ard a bhí aici, ag stánadh ar an bpota.

'Patsy!' arsa Saoirse uair amháin eile, ag druidim níos cóngaraí di.

Leag sí lámh ar ghualainn Phatsy. Níor dhúirt Patsy faic.

❖ ❖ ❖

B'fhada an t-aistear a thóg Saoirse ó shábháilteacht shofaisticiúil Bharra an Teampaill go dtí dainséir bhithiúnta Chorca Dhuibhne. Thosaigh an t-aistear sin tráthnóna amháin i ndeireadh mhí Eanáir, go luath sa mhílaois nua. Bhí Saoirse ar an DART ag filleadh ón oifig mar ba ghnách léi ag an am sin den bhliain – geimhreadh – agus ag an am sin den lá – a cúig a chlog. Bhí an stáisiún liath gruama plódaithe le daoine ag teitheadh ón gcathair tar éis obair an lae, mórán acu ag iompar málaí móra plaisteacha. Dunnes Stores. Marks and Spencers. A-Wear. Bhí margaí na hathbhliana ar siúl. Mála mór á iompar ag Saoirse, ainm Brown Thomas scríofa air agus culaith nua de dhearadh Donna Karan, Nua-Eabhrac, istigh ann. DKNY! Culaith dhubh, cosúil leis an gculaith dhubh a bhí á caitheamh aici faoi láthair, agus ag gach bean eile sa stáisiún, agus cosúil leis an gculaith dhubh a bhí ar crochadh ina vardrús sa bhaile, ach culaith a chosain a trí oiread airgid le ceann ar bith díobh sin. Margadh maith ba ea í, áfach, í á tairiscint faoi bhun leath a luach anois ó bhí laethanta deiridh mhí Eanáir ag teacht. Anois teacht an earraigh beidh na héadaí ag dul ar phinginí. Donna Karan. New York. Nuair a smaoinigh Saoirse ar na ceithre litir sin, DKNY, tháinig meangadh gáire ar a béal agus gliondar ina croí istigh. Ach blús deas bán a bheith aici bheadh léi san agallamh do phost bainistíochta a bhí le bheith ann i gceann seachtaine. Dá mbeadh barr beag ar dhath an airgid aici d'fhéadfadh sí freastal ar ócáid ar bith sa chulaith dhubh sin. Culaith a thógfadh bean in áit ar bith ba ea í. Sin a dúradh in *Image* ach go háirithe. Culaith a d'fhéadfá a chaitheamh go dtí an oifig, agus r ag ithe lóin le do chairde, nó ag oscailt taispeántas ealaíne nó ar ócáid de shaghas ar bith istoíche.

Ba mhinic Saoirse ag freastal ar a leithéid. Ealaíontóir ba ea a leannán, Marcas Bitterman. Bhí cáil air mar dhearthóir canbhás ollmhór, iad clúdaithe le línte díreacha ag rith trasna an chanbháis cosúil le ráillí traenach. Bhí na pictiúir an-chosúil lena chéile ach amháin gur bhain sé úsáid as dathanna éagsúla i ngach ceann acu. Roghnaigh sé na dathanna de réir an ghiúmair a bhí air. Donn, dubh, liath agus dúghorm na dathanna is mó ar bhain sé úsáid astu. Ba minic lagmhisneach ar Mharcas. Chuaigh an lagmhisneach le meon an ealaíontóra. Thuig Saoirse an méid sin. Ealaíontóir ba ea ise, freisin, *in spe* ar a laghad. Bhuail sí le Marcas nuair a bhí an bheirt acu ag freastal ar an gColáiste Ealaíon. Nuair a bhain sí a céim amach fuair sí post deas i ngailearaí nua i mBarra an Teampaill. Bhí Barra an Teampaill díreach tosaithe ag an am sin, agus mheas sí go raibh sí ag glacadh páirte i bhfiontar iontach tábhachtach, iontach réabhlóideach, iontach … iontach. Bhíodh sé i gcónaí i gceist aici leanúint ag péinteáil istoíche agus ag an deireadh seachtaine. Ach bhíodh an gailearaí an-ghnóthach agus i ndáiríre bhíodh sé deacair an t-am a fháil rud ar bith eile a dhéanamh. Agus, ar ndóigh, bhíodh uirthi Marcas a chur san áireamh freisin.

Lig sí osna, gan fhios di féin, ag smaoineamh ar Mharcas di. Bhí sí go mór i ngrá leis, le sé bliana anuas, ach an raibh seisean i ngrá léi siúd?

'Tá, tá, tá!' a deireadh sé nuair a cheistíodh sí é. 'Ar mhaith leat méid mo ghrá a thomhas? Tá sé ar aon mhéid le … fan go bhfeice mé. Do shrón? Do ghéaga fada cumhra? D'aghaidh?'

Ní ciallmhar an rud é duine ar bith a cheistiú faoi mhéid a ghrá, go háirithe más fear an duine sin, fear nach é d'fhear céile é, ach ní bhíodh leigheas ag Saoirse air, uaireanta. Níl sé ciallmhar brú ar fhear ar bith teacht chun cónaithe leat, nó tú a phósadh, ach an oiread. Ach dheineadh Saoirse an dá rud, uaireanta. Beag an mhaitheas a dhein sé di a bheith á éileamh air. Níor ghéill sé di.

'Ní fhéadfainn árasán a roinnt le héinne!' a deireadh sé. 'Táim i bhfad róscaipthe, agus róleithleasach. Agus ar aon nós, níl spás in árasán ar bith do mo chuid canbhás.'

B'fhíor dó faoin bpointe deireanach ach go háirithe.

Tháinig an traein, deich nóiméad mall. Bhí sí lán go doras ag teacht isteach sa stáisiún di. Mar sin féin, bhrúigh gach duine ar an ardán isteach ina treo, trí chéad duine ag iarraidh dul ar thraein a bhí lán cheana féin. Bhrúigh Saoirse isteach, agus sheas sí mar a bheadh ribe féir i ngort, í brúite ar gach taobh ag coirp eile. Ní bhíonn tú riamh chomh cóngarach do dhaoine, go fisiciúil, agus a bhíonn tú ar an DART, seachas daoine lena bhfuil tú pósta nó i ngrá. Bhí tóin fir aird chaoil sáite ina brollach, agus brollach mná bige sáite ina droim. Daoine eile ag tabhairt tacaíochta di ar an dá thaobh. Dá dtitfeá i laige ar an traein seo díreach anois, rud ab furasta a dhéanamh, ní thitfeá in aon chor. Ní raibh spás ann le titim. Sheasfá i do laige, go dtí go sroichfeadh an traein Dún Laoghaire, agus ansin thitfeá amach ar an ardán, leis na sluaite eile a thuirling ansin, mura mbeifeá tagtha chugat féin faoin am sin.

'Tá an DART go hiontach,' a deireadh Saoirse lena cairde i gcónaí, agus le daoine sa ghailearaí. 'Yeah!' a deiridís. 'Tá an t-ádh leat.' Ní raibh cead gearáin ag aon duine, b'in riail Bharra an Teampaill. An focal ba choitianta ná 'wonderful'. 'Oh, wonderful!' 'Tá an DART *wonderful*.' a deireadh Saoirse, deich n-uaire in aghaidh an lae. 'Tá an pictiúr sin (dhá spota dhearga ar chúlra gorm) *wonderful*.' 'Tá an lón *wonderful*.'

Bhí bolaithe éagsúla le fáil ar an DART an tráthnóna seo, cuid acu go deas agus cuid acu nach raibh chomh deas sin. Cumhrán de shaghas éigin a bhí coitianta faoi láthair. *Dune* b'fhéidir. Bhí sé sin san aer. *Inis*. Boladh nua ar bhain Saoirse triail as inniu agus í i siopa Brown Thomas. Boladh allais. Cé go raibh an tráthnóna fuar bhí an traein an-te. Boladh gairleoige. Boladh na dí. Agus i gcónaí ar thraein 5.15 bhí duine éigin a lig broim as, nó aisti, agus a líon an carráiste le boladh bréan, te, náiriúil. An t-aon bhuntáiste a bhain leis an DART ná nach bhféadfaí an duine a lig an broim a aithint. Dá mba thusa a dhein é, buntáiste mór ba ea sin. Bhí tú slán. Ní raibh ionat ach cloch bheag amháin ar charn, nó ribe ar charn aoiligh. Slua an DART.

Thosaigh daoine ag tuirlingt den traein ag an gCarraig Dhubh. B'in seans agat mioneolas de shaghas eile a fháil ar an nádúr daonna. Ag an gCarraig Dhubh, d'fhág roinnt daoine a suíochán folamh, agus, den chéad uair ó d'fhág siad lár na cathrach, bhí seans ag na hainniseoirí a bhí leathmharbh ón seasamh clár a chur faoina dtóin. Ní crannchur a bhí ann ach seasamh na dtréan. An té a

bhí glic a bhain an chraobh. Suíochán. Bhí uirthi súil
ghéar a choimeád orthu siúd a bhí ina suí cheana féin.
Conas a tharla sé go raibh siad ina suí? An amhlaidh gur
dhaoine iad a chaith an lá ar fad ar an DART, ag taisteal
ó Bhré go Binn Éadair, ó Bhinn Éadair go Bré, arís agus
arís eile, ionas go mbeadh sé de shásamh acu suíochán a
bheith acu ar thraein 5.15?

Bhí uirthi faire go géar chun leid a fháil maidir le
pleananna na ndaoine suite. An raibh an chuma air siúd
nó uirthi siúd gur as an gCarraig Dhubh dó nó di? An
raibh aghaidh, éadaí, mála, leabhair, nuachtáin na
Carraige Duibhe aici? Seachas, Dia ár slánú, aghaidh,
éadaí, leabhair, nuachtáin duine a mbeadh cónaí uirthi
amuigh i mBré, nó sa tSeanchill, is é sin duine a
choimeádfadh an suíochán ar feadh leathuair an chloig
eile. An raibh cuma ar an duine go raibh sí ag ullmhú
don turas uafásach ón suíochán go dtí doras na
traenach? *SCUSEME! SCUSEME! SCUSESCUSEME!
PLEASE I'M TRYING TO GET OUT! SCUSE
MEEE!* An raibh sí ag cur a leabhair, nó a cóip de *The
Irish Times*, ina mála bog leathair? An raibh cuma
neirbhíseach ag teacht ar a haghaidh?

Ní fhéadfá a bheith cinnte. Uaireanta bheadh dul
amú ort. Bheadh gach cosúlacht air gur dhuine a rugadh
agus a tógadh agus a pósadh agus, amach anseo, a
d'éagfadh, sa Charraig Dhubh a bhí agat. Bheadh an
duine céanna seo ag dúnadh a leabhair nó ag cur uaithi a
Walkman nó a teileafón póca. Ach ag stáisiún na
Carraige Duibhe, ní bhogfadh sí as a suíochán. Bheadh
gach cosúlacht uirthi gurbh as an gCarraig Dhubh di,
ach mo léan, níorbh ea. I gCill Iníon Léinín a rugadh

agus a tógadh í agus is ansin a bhí cónaí fós uirthi. Fiche nóiméad eile, sa suíochán sin.

Daoine a bhí glic, níor dhein siad botúin ina gcuid meastachán, agus ag an gCarraig Dhubh bhíodh na daoine sin ullamh. Dheinidís cinnte de gurbh iadsan a bhíodh cóngarach don suíochán nuafholmhaithe. Iadsan a shleamhnaíodh isteach ann.

Níor éirigh le Saoirse riamh suíochán a fháil ar an mbealach seo. Uaireanta d'fhaigheadh sí ceann trí sheans. Nó, uaireanta eile, thairgeadh fear éigin, seanfhear de ghnáth, suíochán di. Sin nós a bhí ar an DART. Ní éireodh éinne, fear nó páiste, chun a shuíochán féin a thabhairt do thaistealaí eile, ba chuma cé chomh críonna nó chomh lag, nó fiú amháin chomh torrach, a bhí na daoine a bhí ina seasamh. Ach dá mbeadh fear agus bean ina seasamh taobh le taobh in aice le suíochán a d'fhág paisinéir eile, bhíodh sé de nós ag an bhfear comhartha éigin a dhéanamh leis an mbean, ag tabhairt na chéad rogha di siúd. B'in nós speisialta, traidisiún, béas beag deas, an DART. Is annamh a bhris éinne é.

Go dtí anocht. Bhí Saoirse tar éis brú isteach go dtí an pasáiste idir na suíocháin. Dheineadh sí seo ag Baile an Bhóthair i gcónaí, toisc go mbíodh sí i gcónaí ag iarraidh radharc a fháil ar an gcorr éisc a bhíodh ina seasamh ar chos amháin i lár an réisc san áit seo. Agus toisc go mbíodh sí dóchasach go mb'fhéidir go mbeadh sí in ann suí síos ag an gCarraig Dhubh. B'fhuath le Saoirse seasamh. Tharlaíodh rud aisteach di nuair a dheineadh sí é. D'fhaigheadh sí pian ina bolg. Thagadh masmas uirthi.

Anocht, bhrúigh sí isteach sa phasáiste agus sheas sí in aice le bean a bhí ag caint ar a teileafón ó d'fhág an traein Sraith an Iarthair. Cailín gealgháireach a bhí inti, gruaig fhada fhionn agus seaicéad leathair uirthi. 'Hi!' a dúirt sí arís agus arís eile ar an nguthán, i nguth ard láidir féinmhuiníneach. 'Wonderful! … I'm at Sandymount Station. Ha, ha, ha! Yeah, wonderful! See ya!' Ag Baile an Bhóthair chuir sí an teileafón ina mála droma, agus dhein meangadh mór gáire leis an saol i gcoitinne. Agus ansin, agus an traein ag druidim leis an gcéad stáisiún eile, d'éirigh sí agus thosaigh ag déanamh a bealaigh go dtí an doras. Bhí fear meánaosta ina sheasamh in aice le Saoirse. D'fhan sí soicind, go dea-bhéasach, ag feitheamh go dtabharfadh sé an nod di. Ach níor dhein. Ina ionad sin, shuigh sé féin síos, tharraing leabhar as a phóca (Stephen King) agus … Agus.

Lig Saoirse osna mhór.

Shleamhnaigh an traein as an stáisiún.

Lig sí osna mhór eile agus dhein méanfach.

An chéad rud eile, bhí sí ina luí ar a droim i seomra beag dorcha agus glór aisteach ina cluasa.

Neenaneenawneenaw.

Solas gorm.

'Hey! Bhfuil tú ceart go leor?'

Bhí sí in otharcharr.

Tar éis di dul faoi scrúdú san ospidéal, scaoileadh abhaile Saoirse. Fuair sí tacsaí go dtí a hárasán – dhá sheomra bheaga i seanteach sa Naigín. Níor tharla ach gur thit sí i laige. Bhí an iomarca daoine ar an traein, ní raibh oiread agus fuinneog amháin oscailte. Dúirt an dochtúir gur thaispeáin na scrúduithe nach raibh mórán

cearr léi, ach ba mhaith leis dá bhfillfeadh sí i gceann lá
nó dhó chun go ndéanfadh sé scrúdú níos géire.

Bhí Saoirse ina seomra beag, ag ullmhú cupán tae,
nuair a thug sí faoi deara nach raibh a mála aici, an mála
ina raibh an chulaith DK a cheannaigh sí in BT.

Thit a croí.

Dhá chéad punt, imithe le gaoth.

Ghlaoigh sí ar Oifig na nEarraí Caillte in Iarnród
Éireann. Ní bhfuair sí ach inneall freagartha ag iarraidh
uirthi glaoch idir a naoi agus a cúig, ón Luan go dtí an
Satharn.

Ghlaoigh sí ar Mharcas. Ach inneall freagartha a fuair
sí ansin freisin. 'Marcas Bitterman. Leave a message
after the tone.' Ní chuireadh sé focal amú, mar Mharcas.
'Hello' ní déarfadh sé mura mbíodh gá leis. Shábháladh
sé a chuid fuinnimh go léir don chanbhás. D'fhág sí
teachtaireacht agus d'ól a cupán tae. Smaoinigh sí ar rud
éigin a ithe – ní raibh faic ite aici ó bhí am lóin ann. Ní
hea. Níor ith sí lón inniu, toisc í a bheith ag
siopadóireacht. B'fhéidir gurb é sin an chúis ar thit sí i
laige?

Ní raibh ocras ar bith anois uirthi.

Chuir sí an *immersion* ar siúl. Dhéanfadh folcadh deas
te maitheas an domhain di. Las sí toitín, shuigh siar agus
chuir an teilifís ar siúl.

2

Árasán dhá sheomra a bhí ag Saoirse: cistin agus seomra eile. Bhí uirthi seomra folctha a roinnt le duine eile, in árasán den saghas céanna, ar an taobh eile de cheann an staighre. Ba chuma léi. Bhí a seomra féin mór agus compordach, agus bhí sé aici le sé bliana anois, ar cíos a bhí thar a bheith réasúnta. Toisc an láthair a bheith beagáinín mí-áisiúil, agus, nuair a thóg sí an t-árasán ar dtús, mífhaiseanta, bhí árasán i bhfad níos mó agus níos saoire aici ná mar a bheadh in áit eile níos cóngaraí do lár na cathrach.

Bhí maisiúchán déanta ag Saoirse ar a cuid seomraí; ní raibh cosúlacht ar bith acu anois leis na seomraí ar bhog sí isteach iontu. Ballaí bána a bhí aici, agus mata dubh ar an urlár. Bord beag gloine, cathaoireacha ar dhath an airgid. Pictiúr a dhein sí féin den Bhlascaod Mór − áit a dtéadh sí anois is arís nuair a bhí sí óg − ar bhalla amháin, agus pictiúr a dhein Marcas de ráillí traenach ar bhalla eile. Bhí a pearsantacht le brath sna seomraí. Bhí sé soiléir gur bhain siad le duine ealaíonta, duine cuibheasach óg, duine a bhí i dteagmháil leis na fórsaí is nua-aimseartha agus is tábhachtaí i saol cultúrtha na cathrach. Agus fós duine a raibh fréamhacha aige in áit éigin eile. Na Blascaodaí. An Daingean. Corca Dhuibhne. Áit a bhí Gaelach agus sean, ach fós faiseanta agus nua.

11

An mhaidin i ndiaidh na heachtra ar an DART, d'éirigh sí ag a hocht, mar ba ghnách léi. D'airigh sí ar fónamh. Ní raibh tinneas cinn uirthi. Nuair a bhreathnaigh sí ar an gclog taobh lena *futon*, clog amháin a chonaic sí agus ní dhá cheann: bhí a hintinn ag feidhmiú mar ba chóir di a bheith, de réir dealraimh.

Mhothaigh sí beagáinín gruama áit éigin ina bolg. Bhí dorchadas éigin ina croí. Ach is mar sin a mhothaigh sí go hiondúil nuair a dhúisigh sí ar maidin le tamall anuas. Tar éis di éirí agus cithfholcadh a bheith aici, bheadh sí sona sásta arís. Bheadh an saol *wonderful,* mar ba cheart dó a bheith i gcónaí. Bhí a fhios ag Saoirse nach raibh spás sa ghnó ina raibh sí ag obair – ealaín, díolachán, PR – do dhaoine nár chreid go daingean go raibh gach rud *wonderful.* Dá mbeifeá gruama ní fada a choimeádfá do chéim ar an dréimire. Bhí an chathair lán de chailíní dathúla dearfacha agus meangadh mór gáire orthu ó mhaidin go hoíche, agus fiacla maithe acu freisin, a bheadh lánsásta bean ghruama a bhrú amach agus a háit a ghlacadh. Agus ní dhéanfadh sé maith a bheith ag ligean ort gur chreid tú in iontas an tsaoil. Bheadh an cur i gcéill ar taispeáint ar d'aghaidh. Bhí ort fíorchreideamh a bheith agat. *Life is Beautiful.* Creid é agus beidh sé fíor.

Léigh Saoirse cúpla leathanach de leabhar a bhíodh aici taobh lena leaba i gcónaí chun spreagadh a thabhairt di nuair a bhíodh sí i ndrochghiúmar. Louise Hay. *I am rich. I am beautiful. It's a wonderful day.* Má deir tú na focail sin minic go leor rachaidh siad i bhfeidhm ort agus *hey,* beidh gach rud go hiontach. Uaireanta, nuair a smaoiníodh Saoirse go raibh na leabhair seo á ndíol go forleathan agus go raibh na mílte daoine – mná go háirithe – á léamh ag an nóiméad áirithe sin, d'éiríodh sí amhrasach. Ach ar an lámh eile de, más amhlaidh go raibh na leabhair á léamh, agus a raibh iontu á chleachtadh, ag a cuid céilí iomaíochta, thuig sí nach raibh rogha aici ach leanúint leis an léitheoireacht agus leis an intinnghlanadh. Bhí sé riachtanach, díreach chun fanacht san áit ina raibh sí i rás na bhfrancach. Creideamh. Cleachtadh. Smacht.

Chuaigh sí ar turas go dtí an seomra folctha tar éis di cúpla leathanach a léamh. Ansin dhein sí cupán caife agus d'ól sa leaba é, faoin gcuilt mhór chluthar, agus í ag éisteacht leis an raidió. Yvonne Baily ag tabhairt le fios go raibh an trácht go dona ar Bhóthar Stigh Lorcáin, ag Baile Phib, ar an M50, agus ar gach bóthar i mBaile Átha Cliath agus i ngach cathair eile sa tír. 'Buíochas le Dia nach bhfuil orm tiomáint isteach,' arsa Saoirse, os ard, léi féin, agus í ag tarraingt uirthi ceann dá cultacha dubha. Thit a croí agus í ag cuimhneamh ar an gculaith a chaill sí inné. DKNY. Ach bheartaigh sí athuair a bheith dóchasach. Ní foláir a bheith dóchasach, ag éirí duit ar maidin, agus tú ag rith amach chun do phoist. Mura mbeadh dóchas agat d'fhanfá sa leaba.

Sa halla thíos staighre bhuail sí le Mrs O'Connor. An tiarna talún, nó a bhean. Bhí fear in éineacht léi, nár aithin Saoirse.

'Hi!' arsa Saoirse.

'Hello, Saoirse,' arsa Mrs O'Connor. Bhí sí béasach gan a bheith cairdiúil, ach sin an nós a bhíodh aici i gcónaí. 'Conas tá tú?'

'Go maith,' arsa Saoirse, ag breathnú go géar ar an bhfear strainséartha. 'Agus tú féin?'

'Ceart go leor,' arsa Mrs O'Connor. Bean sna daichidí. Bhíodh sí dea-ghléasta i gcónaí. Bhí cóta leathair uirthi anois, leathar bog donn, agus bríste ar dhath an uachtair. Fáinní órga ina cluasa agus dath na gcnónna ar a craiceann. Bhíodh an chuma i gcónaí uirthi nárbh fhada ó chaith sí saoire in áit éigin a raibh aeráid na Meánmhara ann – sin nó gur chodail sí ar leaba ghréine.

'Bhuel, caithfidh mé rith!' arsa Saoirse. De réir dealraimh ní raibh Mrs O'Connor chun an fear a chur in aithne di.

'Ar ndóigh,' arsa Mrs O'Connor, ag déanamh gáire beag.

D'fhág Saoirse an teach agus bhrostaigh go dtí stáisiún na traenach.

'Níl aon mhála de chuid Brown Thomas anseo. Tá brón orm.'

'Bhfuil tú cinnte?'

'Cuirfimid glaoch ort má thagann sé isteach.'

'Go hiontach!'

'Ach ní bheinn dóchasach.'

Chuir Saoirse uaithi an teileafón.

'Drat!' ar sise le Mollaí, úinéir an ghailearaí. 'Mo chulaith nua! An chulaith is fearr a cheannaigh mé riamh. Sciobtha!'

'Is trua sin,' arsa Mollaí, agus í ag tabhairt neamhairde ar scéal na culaithe. Bhí sí ag breathnú ar phictiúr agus í ag caint, pictiúr de chailín an-bheag ar fad, trí orlach ar airde, ina seasamh sa chúinne ar chanbhás mór bán.

'Cé mhéad freagra atá tagtha isteach anois?'

'Seasca a trí,' arsa Saoirse, ag breathnú ar a ríomhaire.

Lig Mollaí osna.

'Tiocfaidh daoine nár chuir freagra chugainn,' arsa Saoirse. 'Tarlaíonn sé sin i gcónaí.'

Chroith Mollaí a ceann go héadóchasach.

'Glaoch ar bith ó na nuachtáin?'

'Níl go fóill,' arsa Saoirse. 'Ach tá sé luath go leor fós.'

Shuigh Mollaí síos. 'Is dócha go bhfuil,' ar sise. Bhreathnaigh sí ar na pictiúir a bhí crochta le lá nó dhó ar na ballaí. Taispeántas nua le Glenda O'Donovan, ealaíontóir nua. Ba é seo an chéad taispeántas aici. Ní raibh sí ach trí bliana is fiche d'aois. 'Wonderful!' arsa Mollaí. 'Tá sí *wonderful* Sin an rud is tábhachtaí.'

'Is é,' arsa Saoirse. 'Is cuma faoi gach rud eile.'

Sin an rud a dúirt sí, ach bhí a fhios aici gur bhréag a bhí á hinsint aici. Bhí sé tábhachtach go raibh an ealaín go maith. Bhí sé tábhachtach, freisin, go dtiocfadh slua mór go dtí an oscailt. Bhí sé tábhachtach go gceannóidís na hearraí a bhí á dtaispeáint. Bhí sé tábhachtach go dtiocfadh an preas agus *The Arts' Show* agus go ndéanfadh duine éigin léirmheas maith ar an taispeántas. Is ar an ealaíontóir a thit an chéad dualgas, ach is ar Shaoirse a thit gach dualgas eile. Uaireanta d'éiríodh léi. Ansin bhíodh Mollaí sona sásta agus mhothaíodh Saoirse gur dhuine iontach ba ea í féin. Ach uaireanta ní éiríodh, agus a mhalairt de scéal a bhíodh ann.

'Beidh gach rud ar fheabhas, fan go bhfeice tú!' arsa Saoirse, gan tuairim aici an amhlaidh a bheadh.

Thóg Saoirse uair an chloig saor am lóin, cé go raibh sé ina raic sa ghailearaí. Ach bhí coinne aici le Marcas. D'ithidís lón go minic i bproinnteach beag ar Crown Alley, ina raibh ceapairí agus a leithéid ar fáil. Bhí an tsráid bheag gnóthach, mar a bhíodh i gcónaí ag an am seo den lá. Daoine ag siopadóireacht sna siopaí beaga a dhíol seanéadaí, rudaí ón India agus ón tSín, bróga móra aisteacha ildaite nach raibh le fáil in áit ar bith eile sa chathair. Coinnle, seoda déanta as plaisteach nó as adhmad. Áit ghealgháireach, liobrálach, óg, ba ea Crown Alley, agus thaitníodh sé le Saoirse a bheith ann, a bheith páirteach sa saol saor, ealaíonta, fiáin, a thairg an tsráid dóibh siúd a shiúladh ar na cosáin ann agus a cheannaíodh na hearraí a bhíodh ar díol sna siopaí. Nó a d'itheadh ceapairí ann.

Ach le déanaí bhí deacrachtaí aici le hatmaisféar Crown Alley. Is amhlaidh a bhí sí ag iarraidh breith air, an draíocht ann a shú isteach ina cuid scamhóg agus i sruth a cuid fola, ach ní raibh ag éirí léi. Cé gur oibrigh sí sa cheantar, cé go raibh sí ann le fada, cé gur ith sí agus gur ól sí sna proinntithe cearta agus gur ghléas sí mar ba chóir, mhothaigh sí go raibh balla éigin idir a hanam istigh agus anam Crown Alley. Níor bhraith sí go raibh sí sa bhaile ann a thuilleadh.

Bhí sí ag dul in aois, b'fhéidir. Nó an amhlaidh nach raibh sí sa bhaile ann riamh? An amhlaidh nach raibh ann ach dromchla, gan faic laistigh?

Ní raibh Marcas sa chaife, rud nár chuir ionadh ar bith ar Shaoirse. Ba mhinic mall é. D'ordaigh sí arán *pitta* le sicín agus iógart – ní raibh ann ach thart faoi 350 calra – agus buidéal uisce, agus shuigh san fhuinneog.

D'oscail sí cóip de nuachtán an lae os a comhair amach agus thosaigh sí á scrúdú go cúramach. Bhí sé léite aici cheana féin. B'in míbhuntáiste a bhain le taisteal ar an traein — bhíodh an nuachtán léite aici roimh a naoi a chlog ar maidin i gcónaí, agus an mionphléisiúr sin ídithe sarar thosaigh an lá i gceart in aon chor. Ach bhí cuid de nach raibh léite i gceart aici — leathanaigh nach mbacfadh sí leo mura mbeadh sí i gcruachás: Nuacht an Domhain, Iris an Oirdheiscirt, Carranna, Nuacht an Bhaile. I ndáiríre ní léadh sí, nuair a bhíodh an rogha aici, ach cláir na teilifíse, na litreacha, na hailt faoi chúrsaí ealaíne nó faoi chúrsaí faisin nó faoin tsláinte, an aimsir. Agus gan amhras fógraí faoi phoist — ar eagla na heagla.

Bhí an nuachtán ar fad léite aici faoi dhó, agus í go domhain isteach in alt fada, casta, leadránach faoi pholaitíocht na hAfraice Theas, nuair a tháinig Marcas, leathuair an chloig mall.

'Hi!' a dúirt sé. Bhí guth caoin bog aige nach samhlófá le fear a bhí chomh fearúil le féachaint air. Chomh luath agus a chuala Saoirse an guth sin, tharla rud éigin dá croí. Ní raibh a fhios aici go díreach cad é. D'ardaigh sé, mhéadaigh sé, d'éirigh sé bog. Tháinig athrú de shaghas éigin air. Tháinig athrú uirthi féin. Ba chuma léi faoi gach rud sa saol, ach a bheith anseo, a bheith i bhfoisceacht Mharcais.

'Hi!' a dúirt sí.

'Nílim rómhall?'

'Tá tú ceart go leor.'

'Bhí orm teachtaireacht a dhéanamh do mo mháthair. Níl sí ag mothú rómhaith inniu.'

Seo an leithscéal a d'úsáid Marcas i gcónaí agus é déanach. A mháthair. Chónaigh sí sa cheantar céanna leis féin, agus ní raibh an tsláinte go maith aici. Chomh fada agus ab eol do Shaoirse, ní raibh aon rud a bhféadfá ainm a chur air, ag cur isteach uirthi, ach ba mhinic í sínte le drochshlaghdán, nó fliú, nó – níos minice agus níos minice le sé mhí anuas – le tinneas gan teideal fiú amháin. Ní dheireadh sé ach go raibh sí 'breoite' nó nach raibh sí 'ar fónamh', agus bhíodh ar Shaoirse glacadh leis sin. Aon uair a bhuail sí féin le máthair Mharcais, bhí an chuma uirthi go raibh sí i mbarr na sláinte – baintreach sna caogaidí, post mar leabharlannaí aici agus rogha mhaith éadaí sa vardrús.

Shuigh Marcas síos agus thóg lámh Shaoirse ina lámh féin. Dhein sé a méara a chuimilt. Go dtí sin bhí Saoirse sceiptiúil faoina leithscéal. Ach chomh luath agus a dhein sé an comhartha grámhar sin, chreid sí gach focal a dúirt sé. Bhí sé ag féachaint isteach sna súile uirthi, meascán de ghrá agus de ghreann ina chuid súl féin. Thosaigh sé ag cuimilt a coise lena chos féin faoin mbord agus é ag fáscadh a láimhe os cionn an bhoird ag an am céanna. Sméid sé súil uirthi. Leáigh sí ina croí istigh. Ba chuma léi gur choimeád sé ag feitheamh í in áiteanna poiblí, gur lig sé síos ar fad í níos minice ná ba chóir. Duine iontach ba ea é. Bhí sé bog agus grámhar. Bhí domhaintuiscint aige uirthi, idir anam agus chorp. Bhí a fhios aige conas í a chur ag gáire, conas pléisiúr a thabhairt di, conas í a chur ag caoineadh. Bhí sí chomh mór sin i ngrá leis gur chuma léi faoi gach rud faoin ngrian nuair a bhíodh sí ina chuideachta.

Fear meánairde ba ea é. Bhí gruaig fhionn air, agus croiméal beag a bhí fionn, freisin. Súile gorma ina cheann a d'fhéachadh go géar ar gach rud trí spéaclaí beaga órga. Ní raibh rud ar bith cearr lena radharc ach cheap sé go mbreathnaíodh sé níos dáiríre nuair a bhíodh spéaclaí air. Chaitheadh sé seaicéad dubh leathair, *jeans* dubha agus léine bhán, agus carbhat mór síoda ag a scornach. Dath corcra a bhí ar an gcarbhat inniu, ach bhí ceann dearg, ceann gorm, ceann buí, agus ceann dubh aige freisin. D'athraíodh sé go rialta iad, ach ní athraíodh sé an chuid eile dá fheisteas riamh.

'An dtiocfaidh tú go dtí an oscailt anocht?' a d'fhiafraigh sí de.

'Gan amhras,' a dúirt Marcas. 'Caithfidh mé tacaíocht a thabhairt do Ghlenda. Conas tá sí?'

'Neirbhíseach. Ach tá a cuid oibre go hiontach. Éireoidh go maith léi.'

'Oh, yeah, tá sí togha,' arsa Marcas. 'An t-aon bhean sa chathair seo ar fiú trácht uirthi mar ealaíontóir.'

'Bhuel, nílim cinnte de sin,' arsa Saoirse. Ní uirthi féin a bhí sí ag smaoineamh. Bhí sé chomh fada sin ó dhein sí pictiúr nár smaoinigh sí uirthi féin mar ealaíontóir a thuilleadh. Agus bhí dearmad glan déanta ag Marcas gurbh ealaíontóir riamh í.

Níor thug Marcas mórán airde ar a raibh ráite aici. D'ordaigh sé rud éigin le hithe agus phioc píosaí ó phláta Shaoirse a fhad is a bhí sé ag feitheamh ar a chuid féin.

'Fuair mé dea-scéal inniu!' a dúirt sé.

Tháinig eagla ar Shaoirse. Dea-scéal dó siúd nó dea-scéal don bheirt acu?

'An deontas sin ar chuir mé isteach air fadó ó shin, tá sé faighte agam!'

'Comhghairdeas,' arsa Saoirse. 'Cén deontas é féin?

'Tá a fhios agat – nó b'fhéidir nár luaigh mé leat é – deontas, nó saghas scoláireachta, chun dul go dtí an Íoslainn ar feadh trí mhí.'

'Níor luaigh tú liom é,' arsa Saoirse.

Ag a sé a chlog bhí triúr sa ghailearaí, ag ól fíona agus ag iarraidh iad féin a cheilt laistiar de na seastáin ar eagla go mbeadh ar éinne acu focal a rá le héinne eile. Bhí a fhios acu nárbh fhiú a bheith ag caint le daoine a tháinig chuig taispeántas den saghas seo róluath. Bhí Mollaí ina seasamh i lár an urláir, í gléasta i gculaith dhubh agus a cuid gruaige fada rua siar lena droim, agus ag ligean uirthi go raibh sí thar a bheith sásta leis an saol. Bhí Glenda sa seomra folctha, i bhfolach, agus bhí Saoirse cóngarach don bhord ar a raibh na gloiní agus an fíon, ag coimeád súile air.

Ag fiche tar éis a sé bhí fiche duine sa ghailearaí, agus bhí Mollaí ag éirí neirbhíseach. 'Dúirt mé leat go raibh tú mall ag cur amach na gcuirí sin!' a dúirt sí le Saoirse. Níor dhein Saoirse ach a guaillí a chroitheadh. Bhí a fhios aici nárbh uirthi a bhí an locht nach raibh mórán daoine ag teacht chuig an oscailt. Ní hé sin le rá gur thuig sí cén fáth a raibh sé amhlaidh. Ní raibh rialacha ag baint leis na cúrsaí seo, maidir le healaíontóirí ar nós Ghlenda – duine nach raibh go holc i mbun a ceirde, duine a raibh clú áirithe uirthi i measc na *cognoscenti* ach nach raibh i mbéal an phobail, más iad an *Sunday*

Independent agus *The Late Late Show* an chiall a bhí agat leis an nath sin – agus cén bhrí eile atá leis, i mBarra an Teampaill, in Éirinn Nua na Scaireanna dot.com, sa lá atá inniu ann? *Glenda O'Donovan. You are cordially invited to the opening of a new exhibition by Glenda O'Donovan at the Pink and Black Gallery, Crown Alley. RSVP Saoirse at 6754320.* Fiche pictiúr a chruthaigh go raibh samhlaíocht ag Glenda O'Donovan, go raibh feabhas agus forbairt ag teacht ar a cuid oibre, go raibh seans beag bídeach ann go mbeadh clú uirthi uair éigin sa todhchaí agus dá bharr sin gurbh fhiú teacht chuig an oscailt, agus gurbh fhiú, b'fhéidir, sampla dá saothar a cheannach anois nuair nach raibh orthu ach idir £700 agus £1500. D'fhéadfadh sé tarlú go dtiocfadh slua ollmhór chuig oscailt den saghas seo. Agus d'fhéadfadh sé tarlú nach dtiocfadh ach beagáinín os cionn an scóir.

Rud a tharla.

Ag ceathrú chun a seacht, thug an criticeoir mór le rá, Brendan O'Byrne, óráid ghairid – an-ghairid – ag cur síos ar Gwen John agus ar Mainie Jellett, den chuid ba mhó de, agus rinne tagairt nó dhó do Ghlenda. Chomh luath agus a bhí an óráid críochnaithe, d'imigh sé. Níor imigh na haíonna eile, áfach, gaolta agus cairde Ghlenda, go dtí go raibh an fíon ar fad ólta, go raibh siad ar fad ar na stártha, agus go raibh Mollaí féin imithe abhaile agus pus uirthi, á fhágáil faoi Shaoirse an siopa a dhúnadh.

Ar ámharaí an tsaoil ní raibh uirthi labhairt le Glenda, nó a mhíniú di cén fáth ar theip go hiomlán ar oscailt an taispeántais, nó cén fáth nár ceannaíodh oiread agus pictiúr amháin. Bhí Glenda ar meisce agus gan tuiscint aici ar cá raibh sí nó cad a bhí ar siúl nuair a d'fhág sí an gailearaí. Thug sí sracfhéachaint bhrónach amháin ar Shaoirse agus lig scairt mhór gháire aisti. 'Bhí sé *wonderful*' a dúirt sí. 'Tá tú *wonderful!*'

Nuair a bhí an glas curtha ar an doras aici chuimhnigh Saoirse den chéad uair ar Mharcas. An cladhaire! Níor tháinig sé in aon chor, tar éis geallúint di go ndéanfadh!

Tharraing sí a fón as a mála agus chuir scairt air. Ní bhfuair sí ach a ghuth ar an inneall freagartha. Mar ba ghnách.

3

'Tá rud éigin bunoscionn!' arsa Mollaí, an mhaidin dár gcionn.

Post-mortem a bhí ar siúl. Bhí sí féin agus Saoirse ag ól caife i bproinnteach beag cóngarach don ghailearaí. Talamh neodrach.

'Sea, tá, is dócha,' arsa Saoirse.

Thóg Mollaí puth den toitín. D'ól sí tobac chun a corp a choimeád tanaí agus dhein Saoirse an rud céanna.

'Tá ealaín den scoth á roghnú againn. Tá spás maith againn. Níl suíomh níos fearr le fáil.'

'Ní fhágann sé sin ach rud amháin,' a smaoinigh Saoirse. 'Mise.' Ach dúirt sí 'Ó, sea!'

'Leis an inneall poiblíochta atá an fhadhb,' arsa Mollaí.

'Chuir mé preasráiteas chuig na nuachtáin ar fad,' arsa Saoirse.

'Ach níor tháinig na nuachtáin ar fad. Níor tháinig nuachtán ar bith. Tarlaíonn sé sin go minic. Ach freastalaíonn siad ar ócáidí áirithe. Caithfidh siad na colúin sin ar chúl na bpáipéar a líonadh.'

'Bhuel ...,' arsa Saoirse. 'Freastalaíonn siad ar ócáidí tábhachtacha.'

'Níl tú ag rá nach bhfuil tábhacht ag baint le Pink and Black?'

Bhí Mollaí ag éirí feargach arís.

'Oh, no! Ach …'

'An dtuigeann tú nach raibh tuiscint ar bith ag muintir na cathrach seo, ag muintir na tíre seo, ar ealaín chomhaimseartha go dtí gur osclaíodh Pink and Black? Nuair a tháinig mise agus Peter go Baile Átha Cliath deich mbliana ó shin ní raibh faic ann! Ní raibh tuiscint dá laghad acu ar an aeistéitic nua-aimseartha!'

'Tá a fhios agam!'

'Chruthaíomar réabhlóid! Bhí clú ar Peter ar fud an domhain! D'oibrigh sé sna gailearaithe is fearr i Nua-Eabhrac agus i Londain. Agus tháinig sé anseo chun cabhrú liom Pink and Black a bhunú agus rud éigin a dhéanamh ar son na hÉireann.'

Agus cá raibh sé anois? Ar ais i Nua-Eabhrac. Bhí Mollaí léi féin i dteach beag i mBaile Phib, í féin agus mac Peter, buachaill deas in aois a naoi mbliana.

'Tuigim,' arsa Saoirse. 'Caithfidh mé feabhas a chur ar na preasráitis. Ach ní bheadh a fhios agat. B'fhéidir go dtiocfaidís inniu.'

'Umph!' arsa Mollaí, go hardnósach. 'Ní tharlaíonn sé sin riamh.'

Rud nach raibh fíor, ach bhí a fhios ag Saoirse faoin taca seo nárbh fhiú Mollaí a cheartú. Marxach dílis ba ea í – Oisín i ndiaidh na Féinne. Ní bhíodh sí sásta ach nuair a bhíodh sí ag déanamh agóid éigin ar son na dteifeach nó ar son máithreacha neamhphósta nó ar son na homaighnéasach a raibh AIDS orthu. Bhíodh sí i gcónaí ar thaobh an té a bhí thíos. B'in an fáth ar chuir sí fúithi in Éirinn fiche bliain ó shin, chun na hÉireannaigh a shábháil. B'aoibhinn léi na Trioblóidí sa

Tuaisceart. Protastúnach ba ea í, lá den tsaol, ach gan amhras is ar thaobh na gCaitliceach bocht a bhí sí. Ba de bhunadh ardaicme Shasana í agus cé go raibh sí tar éis a saol a chaitheamh ag iarraidh a dúchas a thréigean, níor éirigh léi. Ba ise an *boss*. Chreid sí go mbíodh an ceart aici i gcónaí.

'Caithfidh mé smaoineamh air seo,' a dúirt Mollaí, ag breathnú go géar trí Shaoirse, seachas uirthi. 'Nílim ag iarraidh go dtarlóidh *fiasco* cosúil leis an oíche aréir choíche arís.' Bhrúigh sí uaithi a cupán go mífhoighneach agus chroith a ceann arís, mar a dhéanfadh capall tintrí. 'Níl cothrom na féinne á fháil ag na healaíontóirí. Glenda bhocht! Nílim sásta an íde sin a thabhairt do phéintéir ar bith riamh arís. Ní bheadh sé ceart ná cothrom.'

D'éirigh sí agus d'fhág sí an caife. Dhein sí dearmad an bille a íoc. Bhíodh sí i gcónaí scaipthe dearmadach, mar a bhíonn daoine éirimiúla go hiondúil. Ba mhinic Saoirse ag féachaint i ndiaidh cúrsaí praiticiúla ar son Mhollaí agus Mharcais agus daoine eile, daoine cliste ealaíonta nach raibh ar a gcumas aird a thabhairt ar mhionchúraimí an tsaoil. Ar chúis éigin, níor dhein Saoirse dearmad ar bhille a íoc riamh.

Bhí Mollaí in easnamh an tráthnóna ar fad sa ghailearaí. Bhí a cuasa ag cur isteach uirthi. Bhí sí cráite leo. Uair ar bith a tharla aon rud a chuir isteach uirthi, d'ionsaigh na cuasa í agus ní raibh le déanamh ach luí ar a leaba go dtí go mbeidís ar fónamh arís. Níor thóg sí leigheas ar bith ar an tinneas toisc nár chreid sí i ndrugaí: comhcheilg idir na dochtúirí agus na comhlachtaí móra idirnáisiúnta chun airgead a ghoid ón bpobal agus an timpeallacht a mhilleadh.

Bhí Saoirse i bhfeighil an tí ina haonar. Tráthnóna cuibheasach gnóthach a bhí ann. Bhuail mórán daoine isteach chun sracfhéachaint a thabhairt ar phictiúir Ghlenda. Dúirt bean amháin go raibh sí ag smaoineamh ar cheann acu a cheannach ach go raibh uirthi an rud a phlé lena fear céile sara ndéanfadh sí an beart. Ghlaoigh Saoirse ar gach iriseoir i mBaile Átha Cliath a raibh baint ar bith aici nó aige le cúrsaí ealaíne, le meabhrú dóibh go raibh an taispeántas ar siúl. Beag an sásamh a fuair sí. 'Glenda O'Donovan? Cé hí sin?' a dúirt a bhformhór. Tar éis a lán argóna, thoiligh Michael Mallon cúpla líne a chur ina cholún dá scríobhfadh Saoirse féin iad agus dá seolfadh sí chuige ar an idirlíon iad.

'Dhá líne!' a dúirt sé.

'Beidh leaba bhog agat sna Flaithis,' arsa Saoirse, 'má chuireann tú i gcló iad!'

'Ní féidir liom rud ar bith a gheallúint!'

Díreach roimh a sé, nuair a bhí sí ar tí an áit a dhúnadh, tháinig Marcas isteach sa siopa.

'Ná habair "Cá raibh tú aréir?" ' arsa Saoirse léi féin. Ach cad eile a bhí le rá.

'Hi!' a dúirt sí, i nguth beag tanaí gortaithe.

'Tá brón orm faoin oíche aréir,' arsa Marcas. 'Bhí mo mháthair tinn. Bhí orm dul timpeall chuici agus glaoch a chur ar an dochtúir.'

Níor thug sé póg do Shaoirse, áfach, ná níor bhain léi in aon chor, cé go raibh an siopa folamh.

'Ah!' a dúirt sí, searbhas go tiubh ina glór. 'Do mháthair bhocht. Bhfuil sí ceart go leor?'

'Níl sí i mbaol ar bith, buíochas le Dia,' arsa Marcas. Thosaigh a shúile ag glinniúint, le greann nó le fearg, agus níor fhéach sé go díreach ar Shaoirse.

Méadaíodh ar fhearg Shaoirse.

'So? Cad a bhí uirthi?'

Dhein Marcas comhartha beag a thaispeáin gur ghortaigh an cheist é, nár cheist chuí ná bhéasach í, dar leis. Níor thug sé freagra uirthi. Ach ní raibh Saoirse chun géilleadh chomh héasca sin.

'Do mháthair. Cad a bhí ag cur isteach uirthi a bhí chomh práinneach sin?'

'Em,' arsa Marcas, 'slaghdán. *Bug* de shaghas éigin. Chuir sé isteach ar a goile. Bhí sí ag caitheamh aníos agus chuir sé sin scanradh uirthi.'

'Agus bhí ortsa an oíche ar fad a chaitheamh léi?'

'Bhí orm glaoch a chur ar an dochtúir. Bhí orm fanacht léi go dtí gur tháinig sí. Bhí orm dul go dtí an poitigéir a bhí oscailte istoíche agus frithbheathaigh a fháil di. Bhí orm iad a thabhairt di.'

'Ní chreidim thú!'

Chroith Marcas a ghuaillí agus chaith na lámha san aer.

'Cad is féidir liomsa a dhéanamh faoi sin?'

Bhí lagmhisneach ag teacht ar Shaoirse anois. Thosaigh an t-iarann ag trá as a hanam. B'fhéidir go raibh an fhírinne á hinsint aige?

'Bhuel!' a dúirt sí, tar éis sos beag. 'Bhfuil do mháthair ar fónamh anois?'

D'fhéach Marcas go géar uirthi, leamhgháire ina shúile.

'Tá, go raibh maith agat. Tá na táibléid ag obair.'

Níor dhúirt Saoirse faic ach dhein iarracht srian a choimeád leis na deora.

'Bhfuil an t-am agat deoch a ól liom?' arsa Marcas, i nguth tirim tuirseach.

'Tá,' arsa Saoirse. 'OK. Fan go gcuire mé an áit seo faoi ghlas. Ní bheidh mé i bhfad.'

Chuaigh siad go teach tábhairne ar Shráid Eustace. Ní raibh mórán daoine ann agus bhí cúinne príobháideach acu sa leathdhorchadas. Shuigh Saoirse siar i gcathaoir chompordach. Go tobann bhí tuirse mhór uirthi, agus leisce ina corp is ina hanam a shásaigh í, ar bhealach. Bhí a seasamh déanta aici agus bhí sí tar éis teacht slán as an mbearna bhaoil. Bhí sí féin agus Marcas i dteannta a chéile, ar tí oíche fhada a chaitheamh ag síniú comhaontas síochána i ndiaidh na troda. Bhí siad i dteach tábhairne, agus ní fhágfaidís é go dtí go raibh siad chomh mór i ngrá, nó níos mó, agus a bhí an chéad lá riamh. Rud a bhí furasta go leor i gcás Shaoirse ar a laghad. Luigh sí siar sa chathaoir chompordach. Bheadh gach rud ceart go leor sara i bhfad.

Chuaigh Marcas go dtí an beár agus fuair deoch don bheirt acu, pionta Guinness dó féin agus Millers by the Neck, an bheoir ab ansa le Saoirse, toisc gurbh í an bheoir í a bhí á hól ag an dream faiseanta faoi láthair.

'So!' a dúirt sé, ag breathnú uirthi as na súile iontacha spleodracha mistéireacha sin. D'fhan Saoirse go dtógadh sé a lámh, nó a cos, nó ball éigin di. Ach níor dhein.

'So?' arsa Saoirse.

'Bhfuil tú ceart go leor anois?'

'Tá,' arsa Saoirse.

Bhí sé de cheart aici stopadh ansin. Ach ar chúis éigin níor fhéad sí a bheith ciallmhar. Go tobann theastaigh uaithi a cuid imní ar fad a dhoirteadh amach ar Mharcas. Bhí a fhios aici gur cheart do dhaoine óga cloí leis an teoiric go mbíonn an saol i gcónaí *wonderful*, agus nach fiú anáil a spáráil chun a bheith ag cur síos ar na tubaistí a thiteann amach. Ach ba chuma léi. Theastaigh uaithi a bheith diúltach, a bheith ina caointeoir. Theastaigh uaithi thar aon ní eile sólás a fháil ó Mharcas. Ní raibh a fhios ag Marcas gur thit sí i laige ar an traein dhá lá roimhe sin. Ní raibh a fhios aige go raibh a culaith nua DKNY caillte aici. Ní raibh a fhios aige gur éirigh go hainnis leis an oscailt aréir.

'Bhuel,' arsa Saoirse, agus roghnaigh sí a téama. 'Arú inné cheannaigh mé culaith nua tigh BT ach d'fhág mé ar an DART í.'

Scairt sé amach ag gáire.

'Is trua sin!' ar sé. 'Níl sé in oifig na n-earraí a chuaigh ar strae?'

'Níl.'

'Tá bean éigin eile ag baint taitnimh as.'

'Yeah,' arsa Saoirse. 'Is dócha go bhfuil. Chosain sé £200.'

'Ceannaigh ceann eile,' arsa Marcas.

'Yeah,' arsa Saoirse. 'B'fhéidir.'

Ní raibh an comhrá ag dul in áit ar bith. Ba chuma sa diabhal le Marcas faoin gculaith chaillte. Chun Marcas a shásamh a cheannaigh sí an chulaith sin. Gach ball éadaigh a bhí aici, is chun go mbreathnódh sí go deas ina shúile siúd a cheannaigh sí é. Ach níor thug sé faoi deara cad a bhí uirthi. Ní hamhlaidh a bhí i gcónaí. Nuair a thosaigh sí ag dul amach le Marcas, chuir sé an-spéis ina cuid balcaisí. Thaitin dathanna áirithe leis — gorm, dúghorm, dubh, bán. Thaitin sciortaí gearra leis seachas bríste — is toisc gur thaitin sciortaí le Marcas nár chaith Saoirse treabhsar riamh, ach amháin nuair a bhí sí sa bhaile léi féin san árasán.

Cén fáth nár cheistigh sé faoin oscailt aréir í?

'D'éirigh go hainnis leis an rud aréir, freisin,' ar sise.

'Cén rud é sin?'

Is amhlaidh nach raibh cuimhne aige air. Oscailt. An rud is tábhachtaí a dhein Saoirse ina post agus ní raibh sé in ann é a choimeád ina cheann ar feadh lá amháin.

'Oscailt Ghlenda O'Donovan,' a dúirt sí.

'Glenda!'

'Dúirt tú inné go raibh sí go maith.'

'Tá sí ceart go leor, is dócha. Bhfuil tú ag rá liom nár tháinig Michael Mallon, nó Mary Rose Murphy?'

'Is beag a tháinig. Tuismitheoirí Ghlenda, a dheartháir. Níor tháinig a deirfiúr. Éad uirthi.'

'Ó, bhuel. Is cuma faoi rudaí den saghas sin.'

'Ní cuma liomsa.'

Thosaigh Marcas ag útamáil leis na mataí ar an mbord. D'ól Saoirse súimín as a cuid beorach.

' 'Shaoirse,' arsa Marcas, ag tógáil a láimhe ina lámh féin.

'Sea?' arsa Saoirse.

'Is deacair é seo a rá.'

Níor dhúirt Saoirse faic. Thuig sí nach raibh sé ar tí aon rud maith a rá.

'Níl rud ar bith a dhéanfaidh furasta é.'

D'fhéach sé sna súile uirthi ansin, agus isteach ina croí. Tháinig eagla an domhain ar Shaoirse. Bhí a fhios aici cad a bhí sé ar tí a rá. Bhí a fhios aici go raibh an rud ba mheasa léi ná a bás féin chun tarlú, anois láithreach, sa teach tábhairne seo i mBarra an Teampaill, Celine Dion ag canadh sa chúlra faoin Titanic ag dul go tóin poill, agus ise í féin ar tí suncáil in umar na haimléise.

Bhí trua ag Marcas di. Den chéad uair inniu, bhí grá agus greann agus trua le feiceáil ina shúile beaga gorma agus ina ghuth binn láidir. An fíor-Mharcas bog, cneasta, iontach a bhí ann arís.

Chuir sé an dara lámh ar lámh Shaoirse. Bhí ceapaire lámh déanta ansin aige, lámh Shaoirse mar slis liamháis idir a dhá lámh mhóra thiubha féin.

Lig sí dá lámh féin fanacht istigh sa cheapaire go dtí go raibh an focal ráite aige, an beart déanta. Fiú amháin ansin ní raibh sí ag iarraidh a lámh a scaoileadh. Bhí an rud is measa ráite aige, ach bhí sé fós ann, ina shuí os a comhair amach, a lámh sise idir a dhá lámh féin aige. Bhí sé fós ann, ina saol. Bhí sí idir lámha aige, agus ní raibh aon deabhadh uirthi é a scaoileadh uaithi.

Dhúisigh sí an mhaidin dár gcionn agus mhothaigh sí go raibh fásach istigh i gceartlár a coirp, poll mór dorcha domhain nach líonfaí choíche. Mhothaigh sí go raibh duine éigin tar éis sluasaid a thógáil agus an sonas ar fad a thochailt aisti.

Ba bheag an fonn a bhí uirthi éirí agus dul ag obair.

D'fhéadfadh sí glaoch a chur ar Mhollaí, ag rá go raibh sí breoite. Agus ní bheadh bréag á hinsint aici ach an oiread. Bhí sí breoite, ina croí istigh. Breoite agus briste.

Mar sin féin, bhí leisce éigin uirthi gan dul ag obair.

Tharraing sí í féin as an leaba, d'ullmhaigh cupán caife agus píosa aráin. Chuir sé ionadh uirthi go raibh sí in ann ithe, ach ó ba rud é go mbíodh sí i gcónaí ocrach, toisc gan ach 1200 calra in aghaidh an lae a bheith ceadaithe di, ní raibh athrú ar bith tagtha ar a goile. I ndiaidh di an greim a ithe d'airigh sí níos fearr. Beagáinín níos fearr.

Phioc sí culaith threabhsair as an vardrús – ar a laghad ní raibh uirthi sciorta beag fuar míchompordach a chaitheamh anois – agus i gceann fiche nóiméad bhí sí ullamh don turas go dtí an baile mór.

Bhí litir di ar an mbord sa halla. Toisc go raibh sí beagáinín mall cheana féin, níor oscail sí in aon chor í ach sháigh isteach ina mála í, agus as go brách léi chun an traein a fháil.

Nuair a shroich sí an gailearaí bhí Mollaí roimpi agus cuma shona shásta uirthi. An cat a fuair an t-uachtar.

'Hi!' a dúirt sí, agus í gealgháireach. 'Féach air seo!'

Shín sí *The Irish Times* chuig Saoirse.

Istigh i lár an nuachtáin, ar leathanach na n-ealaíon, bhí colún beag bídeach, faoi bhun na líne, ina raibh léirmheas gairid gonta ar thaispeántas Ghlenda. 'An unusual experimental exhibition by the newcomer Glenda O'Donovan at the adventurous Pink and Black Gallery is worth a visit,' an méid a bhí le rá ag an léirmheastóir, Michael Mallon. Ach ba leor sin chun gliondar a chur ar chroí Mhollaí.

'Maith an fear, a Mhichíl!' a dúirt sí. 'Bhí a fhios agam nach ligfeadh sé síos mé!'

'Right!' arsa Saoirse.

'Bhí Michael Mallon ar dhuine díobh siúd a thug treoir dom faoi shaol na n-ealaíon in Éirinn an chéad lá a leag mé cos anseo.'

'Agus cén treoir a thug sé duit?'

Níor fhreagair Mollaí an cheist. Seans nár chuala sí in aon chor é, bhí sí chomh tógtha lena smaointe féin agus chomh mórálach as an léirmheas a bhí faighte ag Pink and Black sa nuachtán is tábhachtaí agus is faiseanta sa tír, ó Michael Mallon, dia na léirmheastóirí ealaíon.

'Sin an rud iontach faoin tír seo,' arsa Mollaí. 'Ar scáth a chéile a mhaireann na daoine ann. Má bhíonn cara agat, bíonn sé buan!'

'Right! Fíor duit,' arsa Saoirse. Thosaigh Mollaí ag útamáil leis an ríomhaire – ríomhaire Shaoirse.

D'fhiafraigh Saoirse di conas a bhí na cuasa inniu.

'Na cuasa?' arsa Mollaí. 'Ó! Ceart go leor, go raibh maith agat. Agus anois, teastaíonn uaim go gcuirfeá glaoch ar na nuachtáin ar fad inniu, díreach chun a mheabhrú dóibh go bhfuil an taispeántas ar siúl. Tá sé tábhachtach brú éigin a chur orthu, agus beidh suim acu

in Glenda anois, ó thug Michael Mallon an nod dóibh.
Nuair a chacann seisean, cacann siad go léir!'
   'Sea,' arsa Saoirse. 'Is dócha go bhfuil an ceart agat.'
   Bhí cuid den cheart ag Mollaí ach go háirithe, agus
bhí an mhaidin gnóthach go maith. Bhraith Saoirse go
raibh rud éigin in easnamh istigh inti, agus uair amháin
nuair a bhí sí sa leithreas thosaigh sí ag caoineadh. Ach
den chuid ba mhó de ní raibh deis aici a bheith ag
smaoineamh ar an tubaiste uafásach a tharla di aréir. Bhí
leannán sé bliana tar éis í a fhágáil. Bhí raibh sí anois ina
ball den arm ollmhór truamhéalach sin – arm na
gcroíthe briste, arm na bhfíréan gortaithe, na daoine a
tréigeadh i ngrá. Ní raibh mórán measa riamh ag Saoirse
ar an dream sin, nó ar na scéalta a d'insídís nó na
hamhráin a chanaidís. Olagón agus féintrua.

> Gheall tú domsa agus d'insís bréag dom
> Go mbeifeá romham ag cró na gcaorach
> Lig mé scread agus dhá chéad glaoch ort
> Ach ní raibh romham ach na huain ag méiligh.

   Ba bheag a meas ar an sórt eile freagartha freisin.
'I will survive!' Ach anois?
   Bhí an dá loinneog sin ag rith trína haigne an
mhaidin ar fad, agus í ag labhairt ar an teileafón agus ag
tabhairt eolais do chustaiméirí. D'fhill an bhean a bhí
istigh an lá roimhe agus cheannaigh an pictiúr ina raibh
spéis aici. Dhíol siad trí phictiúr eile freisin. Bhí
sceitimíní ar Mhollaí.
   'D'fhéadfaimis na praghsanna a ardú tar éis an
léirmheas iontach sin!' a dúirt sí. 'Tá siad ró-íseal ar fad.

Agus cén dochar a dhéanfadh sé? Bíonn níos mó measa ag daoine ar rudaí má íocann siad go daor astu.'

Smaoinigh Saoirse ar an gculaith a chaill sí trí lá ó shin, agus ar an bhfear a chaill sí dhá uair an chloig déag ó shin. D'aontaigh sí go hiomlán le Mollaí, cé go raibh barúil aici nach raibh an teoiric sin ag teacht le hidéil Karl Marx.

Ag am lóin, nuair a bhí sí ag ceannach ceapaire (nó arán donn agus tuinnín ar bhlonag íseal, 175 calra chun a bheith cruinn) agus caife as *take away*, agus é ar intinn aici a blúire a bhlaiseadh i bpríobháid na hoifige, toisc gan aon fhonn a bheith uirthi am a chaitheamh in áit phoiblí ar bith, tharraing sí an clúdach litreach a fuair sí ar maidin as a mála. Ar ais sa ghailearaí di, d'oscail sí é.

A Iníon Uí Ghallchóir, a chara,

Is oth liom a chur in iúl duit go bhfuil mo theach ag 6 Radharc na Mara, Glas Tuathail, á dhíol agam. Bheinn buíoch díot, dá bharr sin, dá bhféadfá d'árasán a fhágáil chomh luath agus is féidir, agus roimh 1 Márta ar a dhéanaí.

Má bhíonn ceist ar bith agat tá fáilte romhat glaoch a chur ar Sheán Ó Broin, Abhcóide, ag 6754201.

Mise le meas,

Máire Bean Uí Chonchubhair

Bhí deireadh foighne caite ag Saoirse um an dtaca seo. Ní raibh Mollaí sa siopa agus níor dhein sí ach nóta a scríobh chuici, ag rá go raibh sí tinn agus nach raibh rogha aici ach dul abhaile. Chuir sí an siopa faoi ghlas agus d'fhág Barra an Teampaill.

4

'D'fhéadfainn an dlí a chur ort!' arsa Mollaí. 'An dtuigeann tú sin?'

Bhí Saoirse trína chéile, ach bhí sí amhrasach faoin ráiteas sin. 'Ní raibh ann ach comhtharlúint,' a dúirt sí. 'Bhí an áit faoi ghlas. Ní ormsa atá an locht.'

'Níor chuir tú an t-aláram ar siúl!' a scread Mollaí isteach sa ghuthán.

'Cheap mé go mbeifeása ar ais i gceann deich nóiméad!'

'Bhí conradh agat liom, 'Shaoirse. An tuiscint a bhí agamsa, mar fhostóir, ná go mbeifeá sa ghailearaí go dtí a sé a chlog.'

Labhair Mollaí i nguth mall, réidh, tuirseach, guth a chuir in iúl do Shaoirse nárbh fhiú tráithnín í agus ag an am céanna a chuir fearg uafásach uirthi.

'In ainm Dé, bhí mé tinn. Bíonn cead ag gach duine a bheith tinn anois is arís.'

Lig Mollaí osna mhór.

'Ní thuigeann tú faic. Ar ndóigh, tá cead agat a bheith tinn ach caithfidh tú rabhadh réasúnta a thabhairt. Níl sé réasúnta nóta a fhágáil agus greadadh leat!'

'Cá raibh tusa an tráthnóna ar fad?'

Bhí tost beag ar an líne.

'Mo ghnó féin is ea é sin,' arsa Mollaí.

'Bhuel, tá brón orm gur tharla sé seo,' arsa Saoirse.
'Ach ní ormsa a bhí an locht.'

Bhí tost beag eile ann, a thug seans do Shaoirse an
cheist a bhí á crá a chur. An raibh post fós aici? Ach nár
chuir ...

'Slán, 'Shaoirse,' arsa Mollaí. Bhí a guth brónach
anois. 'Seolfaidh mé chugat sa phost an tuarastal atá ag
dul duit. Ní gá duit teacht isteach sa Phink and Black
chun é a bhailiú.'

Leis sin, chuir sí síos an guthán.

'Níl sé de chead aici tú a dhíbirt as do phost toisc gur
bhris buirgléirí isteach sa ghailearaí,' arsa máthair
Shaoirse. 'Tá rud ann ar a dtugtar an "Unfair Dismissals
Act".'

'Tá a fhios agam,' arsa Saoirse. 'Ach conas a
d'fhéadfainn leanúint ar aghaidh ag obair san áit sin?
Tar éis an rud a tharla. Níl meas madra aici orm. Ní
raibh riamh.'

'Ar a laghad b'fhéidir go bhfaighfeá cúpla míle punt
aisti.'

Bean phraiticiúil ba ea máthair Shaoirse.

'Ní dóigh liom go bhfuil cúpla míle punt aici.'

'Dhera, bí cinnte go bhfuil!'

An rud a tharla nár fhill Mollaí ar an siopa go dtí
déanach sa tráthnóna an lá a d'fhág Saoirse go luath.
Nuair a tháinig sí ar ais, bhí an áit trína chéile. Airgead
ar bith a bhí sa scipéad, bhí sé ar shiúl. Bhí dhá phictiúr
imithe leis, agus roinnt eile loite. Tharraing an gadaí
scian trí na canbháis.

'Is cuma liom faoin airgead!' arsa Mollaí. 'Ach na pictiúir. Saothar Ghlenda. Conas is féidir liom an rud ar fad a mhíniú di siúd? Bhí sí ag brath orm aire a thabhairt dá cuid ealaíne. Chuir sí muinín ionam agus loic mé uirthi.'

'Bhfuil árachas agat?' an cheist a chuir Saoirse ag an bpointe sin.

'Árachas!' arsa Mollaí, ag seitreach ar nós capaill. 'Árachas! An féidir árachas a chur ar shaothair ealaíne?'

Is féidir, ach níor thug sí le fios do Shaoirse cé acu a bhí sí clúdaithe i gceart nó nach raibh.

'Bhfuil tú i gceardchumann ar bith?' a d'fhiafraigh máthair Shaoirse di. Bhíodh sí féin ina rúnaí ar a ceardchumann féin lá den tsaol, sa státseirbhís, sa Roinn Airgeadais.

'Ceardchumann? Níl,' arsa Saoirse. 'Ní dóigh liom go bhfuil ceardchumann ann do dhaoine a oibríonn i ngailearaithe ar nós Pink and Black.'

Lig máthair Saoirse osna. Bhí botún éigin déanta aici i dtabhairt suas a hiníne. Ní raibh aon chiall aici, ná aon eolas aici ar a cearta mar dhuine nó mar oibrí. Ach bhí a fhios aici go raibh an ceart ag Saoirse maidir le daoine a d'oibrigh in áiteanna mar Pink and Black. Bhí siad ró-imeallach chun *niche* a fháil i gceardchumann ar bith. Ró-imeallach agus ró-ardnósach agus ró-amaideach agus róbhocht.

Smaoinigh sí go tapa.

'Bhuel, cuirfidh mé glaoch ar dhlíodóir agus gheobhaimid comhairle.'

'Ceart go leor,' arsa Saoirse.

Scrúdaigh a máthair go géar í.

'Cuireann sé ionadh orm nach bhfuil níos mó feirge ort,' a dúirt sí. 'Shíl mé go raibh meas mór agat ar an mbean sin, Pollaí.'

'Mollaí.'

'Agus dúirt tú i gcónaí gurbh iontach an post a bhí agat.'

'Dúirt,' arsa Saoirse. 'Bhain mé taitneamh as ar feadh i bhfad. Ach táim bréan de anois.'

'Bréan de anois!'

'Ba mhaith liom pictiúir a dhéanamh mé féin.'

Chaith máthair Shaoirse a lámha san aer.

'Pictiúir a dhéanamh! Nach tusa a thuigeann go rómhaith nach féidir slí bheatha a dhéanamh as a leithéid.'

'Ba mhaith liom triail a bhaint as.'

'Ar a laghad beidh neart ama agat anois. Mura dtógann tú post in ollmhargadh nó in óstán nó a leithéid.'

'Ó, a Mham! Ba mhaith liom sos beag a thógáil. Táim ag obair le seacht mbliana, gan stad. Mura gcuireann tú na laethanta saoire san áireamh.'

'Ní raibh Sally flaithiúil leis na laethanta saoire, thug mé faoi deara.'

'Mollaí.'

'Níor thaitin sí riamh liom, ar chúis éigin.'

'Tá sí ceart go leor.'

'Tá sí sprionlaithe go leor freisin.'

Thosaigh Saoirse ag péinteáil, san árasán. Ní raibh mórán spáis aici ann, agus bhí an solas go holc, ach bheartaigh sí triail a bhaint as ar feadh tamaillín. D'éirigh sí ag a hocht a chlog gach maidin, díreach mar a dhein nuair a bhíodh sí ag dul ag obair, agus thosaigh ag péinteáil. Bhain sí triail as pictiúir theibí. Níor thaitin pictiúir theibí léi ach bhí an aimsir go dona agus níor fhéad sí dul amach ag sceitseáil sa chathair ná cois farraige ná in áit ar bith eile, agus gan amhras ní raibh *model* ar bith aici chun portráid a dhéanamh. D'oibrigh sí go dícheallach ar rud ar ar thug sí 'Bachelor's Walk' mar theideal oibre. Dathanna geala ann den chuid ba mhó. Agus scáthanna dubha. Marcas a bhí ina ceann an t-am ar fad agus í ag obair. Ba eisean an scáth dubh.

Bhíodh Marcas ar a hintinn i gcónaí, agus í ag péinteáil, ag siúl go dtí na siopaí, ag caint lena máthair, ag caint leis an dlíodóir (a bhí cinnte go bhfaigheadh sé trí mhíle punt ar a laghad as Mollaí). Nuair a d'osclaíodh sí a súile ar maidin, is é Marcas a d'fheiceadh sí, agus ba é íomhá Mharcais a bhíodh ina haigne ag titim ina codladh di freisin. Smaoinigh sí níos mó anois air ná mar a dhein riamh nuair a bhí sé aici.

Bhí sí uaigneach. Bhí uaigneas uafásach uirthi nach sásódh duine ná deoraí ach Marcas féin – an duine a bhí in easnamh, nach raibh ar fáil. Chreid sí dá bhféadfadh sí labhairt leis ar feadh cúig nóiméad go dtiocfadh biseach uirthi tamall, go mbeadh faoiseamh éigin aici ón uaigneas a bhí á crá. Bhíodh cathú uirthi ó dhubh go dubh glaoch a chur air agus iarracht a dhéanamh caint leis.

Ach bhí a fhios aici gurbh in an t-aon rud nach raibh cead aici a dhéanamh.

'Keep a low profile!' an chomhairle a chuirtí i gcónaí orthu siúd a dumpáladh. 'Make yourself scarce! Play hard to get!'

Agus mar sin de. Rialacha ciniciúla shíceolaithe an ghrá agus an ghnéis. Ach ar chúis éigin chreid Saoirse iontu.

Mar sin féin, bhí sé thar a bheith deacair gan géilleadh don chathú agus teagmháil a dhéanamh leis. Bhí sí díreach cosúil le duine a bhí tar éis éirí as na toitíní, nó alcólach a thug suas an deoch. An deoch a bhí i gceist ná Marcas – nó b'fhéidir an teileafón.

Ghéill sí don chathú faoi dhó. Ní bhfuair sí ach an t-inneall freagartha. 'Marcas anseo ...' Na huain ag méiligh. Ar a laghad, chuala sí a ghuth, an guth ceolmhar, cneasta, grámhar, fearúil sin. Chuala sí a ghuth, ach níor bhain sí aon sásamh as. A mhalairt. Tar éis na nglaonna gutháin seo, chaith sí í féin sa leaba agus chaoin go dtí go raibh a haghaidh ata agus chomh dearg le horáiste, agus go raibh línte beaga dearga ina súile.

Tar éis an dara babhta mar seo, chuir sí fógra ar an teileafón ag rá 'Ná déan!' Agus toisc go mbíodh sí i gcónaí ag tnúth go gcuirfeadh seisean glaoch uirthi siúd, chuir sí cúisín ar an teileafón, ionas nach gcloisfeadh sí i gceart é. Chuaigh sí go dtí an siopa leabhar i nDún Laoghaire agus roghnaigh trí leabhar ón tseilf mhór sa rannóg 'Self Help': bhí leathchéad leabhar ar a laghad ann do chailíní agus do mhná a bhí cloíte leis an ngrá. *Mná a Thugann an Iomarca Grá d'Fhir*, *Mná a Thugann Grá don Fhear Mícheart*, agus *Mná a Thugann an Iomarca Grá d'Fhir: Cuid a Dó* na leabhair a fuair sí.

Bhí saghas náire uirthi iad a thabhairt don airgeadóir – fear óg dathúil. Ach dhein sí é. Agus ina dhiaidh sin nuair a tháinig cathú uirthi, rud a tharla b'fhéidir trí chéad uair in aghaidh an lae, in ionad dul go dtí an teileafón léigh sí cúpla leathanach as na leabhair sin – scéalta faoi mhná a dhein rudaí a chuirfeadh sceoin ar do chroí. Mná a lean fir trasna an Atlantaigh, agus nach bhfuair ach drochíde dá bharr. Mná a thréig a gcuid páistí agus a bhfear céile ar mhaithe le drúiseoir éigin (ba mhinic drúis i gceist sna cásanna ar cuireadh síos orthu sna leabhair). Mná a lig orthu féinmharú a dhéanamh mar chuid dá bhfeachtas chun fear bocht éigin a mhealladh ar ais.

I gcomparáid leis na mná sna leabhair seo, bhí Saoirse thar a bheith ciallmhar agus srianta. Is ar éigean a bhí sí i dtrioblóid in aon chor! Ba mhór an faoiseamh a thug na leabhair di. Tar éis tamaill, thuig sí go raibh sí chomh tugtha dóibh agus a bhíodh sí do Mharcas féin, nó don teileafón. Ní fhéadfadh sí dul in áit ar bith gan leabhar éigin acu ina mála nó ina póca. Cheannaigh sí tuilleadh díobh agus tuilleadh arís agus faoi cheann tamaillín bhí carn mór díobh taobh lena leaba aici agus bhí an t-airgeadóir dathúil sa siopa i nDún Laoghaire ag moladh teidil éagsúla di.

'Tá ceann nua scríofa ag Robin Tongy,' a deireadh sé. 'Fuair sé léirmheas maith sa *New York Times*. Déarfainn go mbainfeá taitneamh as.'

'Right!' arsa Saoirse.

'Is féidir liom é a ordú duit más mian leat?'

'Right!' arsa Saoirse. 'Tá sé chomh maith agam é a bheith agam.'

Bhí sí gnóthach ar bhealaí eile freisin. Tráthnónta théadh sí ag breathnú ar sheomraí agus ar árasáin i ngach aon cheantar sa chathair agus lasmuigh di. Bhí an chéad lá de Mhárta ag druidim léi agus ní bheadh díon os a cionn ina dhiaidh sin.

Chonaic sí seomraí i Raghnallach agus i Ráth Maonais agus i Ráth Fearnáin agus i nDumhach Thrá, sna Liberties agus sa Chom agus ar Shráid Thomáis, i mBaile Phib agus i nDroim Conrach agus i Bré agus i dTamhlacht agus sna Sceirí. Agus in áiteanna nach iad. Dá mbeadh sí sásta teach a roinnt le leathdhosaen strainséirí, agus post éigin a fháil, bheadh ar a cumas díon a chur os a cionn ar £70 in aghaidh na seachtaine. Ar árasán den saghas a bhí á fhágáil aici, bheadh uirthi trí oiread an chíosa a bhí á íoc anois aici a chaitheamh. Fiú amháin dá mbeadh sí ag obair do Mhollaí, ní bheadh ar a cumas cíos chomh hard leis sin a dhíol, nó fiú leath an chíosa a bhí á iarraidh.

'Ach cad a dhéanann daoine?' arsa máthair Shaoirse. 'Conas is féidir leo maireachtáil in aon chor?'

'Níl a fhios agam.'

'Cén fáth nach ndéanann na leisceoirí sin sa Dáil rud éigin faoin bhfadhb?'

'Toisc gur caipitlithe iad ar fad,' a dúirt Saoirse, ag aithris ar na focail a bhíodh go minic á rá ag Mollaí.

'Cheapfá go mbeadh vótaí ann. Bíonn níos mó suime acu i vótaí ná in airgead, fiú,' arsa máthair Shaoirse.

'Ní vótálann daoine óga mórán,' arsa Saoirse. 'Ach vótálann daoine ar nós Bhean Uí Chonchubhair. Vótálann daoine saibhre.'

'Níl a fhios agam cad tá ag tarlú don tír seo. £250 000 ar thigh nach bhféadfá dhá chat a thabhairt suas ann, gan trácht ar chlann! Cíos £500 ar sheomra amháin agus cistin. Níl aon dealramh leis.'

'Cad a dhéanfaidh mé?'

'Beidh ort teacht abhaile, is dócha.'

Bhreathnaigh Saoirse ar an seomra ina raibh sí ina suí, seomra bia a máthar. Ní raibh rud ar bith cearr leis an seomra. Ar bhealach, leis an bpáipéar balla agus leis an troscán déanta as crua-adhmad Afracach, bhí sé faiseanta i stíl *retro – 60s retro*. Agus bean dheas ba ea a máthair. Ní chuirfeadh sí isteach ar Shaoirse, agus bheadh áthas uirthi comhluadar a bheith aici sa teach – bhí sí uaigneach ó cailleadh athair Shaoirse trí bliana ó shin, cé nár lig sí uirthi gurbh amhlaidh a bhí. Bhí teach mór folamh aici agus dóthain spáis ann do Shaoirse.

'Go raibh maith agat, a Mham!' arsa Saoirse.

Ach thit a croí.

Dhéanfadh sí rud ar bith. Ghlacfadh sí le háit ar bith, seachas dul abhaile go dtína máthair.

'Tá tigh ag dul ar cíos íseal ag cara liom,' a dúirt Mairéad. Cara le Saoirse ba ea í. Bhí siad ag ól tigh Hourican ar Shráid Leeson.

'Tigh ar cíos íseal? Ní fada go mbeidh tú ag rá liom go bhfuil cáin ioncaim ar ceal agus go mbeidh Éire Aontaithe ann amárach.'

'I ndáiríre. Scríbhneoir is ea é agus tá scoláireacht éigin faighte aige. Tá sé ag dul go California go ceann sé mhí chun filíocht a chumadh.'

'Jesus!'

'Tá an t-ádh leis.'

'Agus cá bhfuil an teach seo? Glacaim leis nach bhfuil sé i mBaile Átha Cliath 4.'

'I nDún Dearg.'

'I nDún Dearg? I gContae Chiarraí?'

'Sin é go díreach.'

'Sa Ghaeltacht?'

'Sea.'

'Théimis ar saoire ann nuair a bhí mé óg. Corca Chorcra a thugaimis air. Nó Corca Loraca.'

'Corca Loraca?'

'Loraca. Lorca. Bhíodh teach ann cosúil le Teach Bhernardo Alba, shíleamar. Bhíodh slua mór ban ann ina gcónaí i dteannta a chéile, deirfiúracha nár phós riamh. Bhíodh cuid acu ag feirmeoireacht agus cuid acu ag déanamh rudaí beaga ornáideacha, agus duine acu ina múinteoir.'

'Sin *Dancing at Lughnasa*, ní *Teach Bhernardo Alba*.'

'Corca Lughnasa. Ní oibríonn sé.'

'Anyway, tá tigín beag deas ag Pilib. Tá radharc ar na Blascaodaí uaidh agus dhá chat aige. Má thugann tú aire do na cait gheobhaidh tú an áit ar chaoga punt in aghaidh na seachtaine go dtí mí an Mheithimh.'

'Bhfuil sé ag teacht abhaile ansin?'

'Níl, ach ardóidh sé an cíos ansin nuair a thiocfaidh na turasóirí go dtí an áit.'

'Cad faoi na cait?'

'Níl a fhios agam.'

'Agus cad fúmsa?'

'Níl a fhios agam ach an oiread. Táim ag iarraidh cabhrú leat, 'Shaoirse. Beidh díon os do cheann ar feadh trí mhí in áit dheas. Beidh tú in ann do chuid péintéireachta a dhéanamh i dtimpeallacht chuí.'

'Bheadh orm Gaeilge a labhairt.'

'Ní bheadh. Meiriceánaigh agus daoine as abhantrach na Réine is mó atá ag cur fúthu i gCorca Loraca na laethanta seo.'

'Yeah, right!' arsa Saoirse. 'Ach ní maith le muintir na háite iad. Tá a fhios agam gur dream an-choimeádach iad. Vótálann siad do Micky Murphy Hay!'

Gaelach agus sean, ach fós faiseanta agus nua – bhí amhras uirthi anois.

'Ní dhéanann ná é,' arsa Mairéad. 'Tá seisean i nDáilcheantar eile ar fad. Vótálann muintir Dhún Dearg do ... do Dick Spring.'

Bhain sé sin geit as Saoirse. Smaoinigh sí tamaillín.

'Bhfuil tú cinnte?' a d'fhiafraigh sí.

Ní raibh Mairéad cinnte in aon chor. Ach dúirt sí go raibh.

'Daoine maithe is ea muintir Dhún Dearg. Tá siad sofaisticiúil. Tá siad bándearg! Tá gach saghas duine feicthe acu agus cuireann siad suas lena lán saghsanna raiméise. Le Pilib, mar shampla.'

'Pilib?'

'Pilib File. Do thiarna talún. Tá sé leath as a mheabhair ach an gcuireann sé sin isteach ar a chomharsana? Ní chuireann, m'anam! Glacann siad leis. Glacfaidh siad leatsa freisin, fan go bhfeice tú.'

Shlog Saoirse siar a deoch agus rinne Mairéad amhlaidh, í ag breathnú ar a huaireadóir. God, bhí

Saoirse ar na stártha! Shílfeá go raibh sí chun an chuid eile dá saol a chaitheamh i nDún Dearg in ionad trí mhí.

'Trí mhí! Tá sé chomh fada sin mar thréimhse,' arsa Saoirse. 'Tá eagla orm go rachainn as mo mheabhair. Bheinn *bored*. Ní tharlaíonn faic faoin tuath.'

'Tá níos mó ar siúl ansin ná atá anseo, de réir Philib,' arsa Mairéad. 'Drugaí, *affaires*, fir phósta ag rith i ndiaidh na mban pósta, mná pósta ag rith i ndiaidh na bhfear pósta.'

'Wonderful!'

'Homaighnéasachas, S and M, transvestitism ... Níl deireadh leis. Ní chreidfeá na scéalta a insíonn sé dom. Níl baol ann go mbeadh sé leadránach.'

Níor dhúirt Saoirse faic. Bhí sí ag smaoineamh ar Mharcas arís. Ní fhéadfadh sí é a dhíbirt as a cuimhne. Thit deoir ó shúil amháin.

'Oh, jeepers!' arsa Mairéad. 'Ná tosaigh ag gol. He's not worth it. Gheobhaidh mé deoch eile duit?'

'Ceann amháin eile. Táim ag iarraidh meáchan a chailliúint.'

5

Coicís ina dhiaidh sin, tamall i ndiaidh a sé a chlog ar maidin, bhí sean-Toyota glas ag déanamh a shlí go mall cúramach amach as Baile Átha Cliath, ar Bhóthar an Náis. Is beag carr eile a bhí ar an mbóthar leathan sin chomh moch ar maidin. Seachas an Toyota, a bhí trí bliana déag d'aois, ní raibh le feiceáil ach trucailí ollmhóra ar a mbealach ó na calafoirt go bailte beaga agus bailte móra na hÉireann, iad líonta le tobáin iógairt agus le boiscíní de shú torthaí, le boscaí bananaí agus le caora fíniúna, le piobair agus le harbhar buí, le seacláid ón mBeilg, le fíon ón Astráil agus le caife ón mBreasaíl, agus leis na hearraí eile atá riachtanach chun go gcoimeádfadh muintir na hÉireann anam agus corp le chéile — mura leagadh ceann de na trucail ar dtús iad, rud a tharla go mion minic ar bhóithre beaga na tíre.

Ach níor tharla aon timpiste den saghas sin fós an mhaidin áirithe seo, cé go raibh fonn ar fhormhór na dtiománaithe an bhean sa Toyota glas a mharú, toisc í a bheith ag tiomáint ar thríocha míle san uair ar an mbóthar mór seo ar a raibh sé ceadaithe taisteal ar sheasca míle san uair, agus ar a raibh sé de nós a bheith ag déanamh idir seachtó agus céad, go háirithe ag an am seo den lá.

Is iomaí eascaine a tharraing an seanghluaisteán air féin agus é ag gluaiseacht leis go mall cneasta réidh trí pháirceanna míne Chill Dara. Istigh sa ghluaisteán, á thiomáint, bhí Saoirse. A máthair a thug an chairt di, mar bhronntanas scoir.

'Beidh orm é a chur faoi scrúdú sa diabhal MOT sin i Meán Fómhair nuair a bheidh sé in am dom an cháin a íoc air arís,' a dúirt sí. 'Bheadh níos mó seans ag leanbh sa chliabhán Ph.D. a fháil in Harvard ná mar atá ag an gcarr sin pas a bhaint amach san MOT. Beidh orm iasacht a fháil ón mbanc agus carr nua a cheannach. Ba bhreá liom Volvo.'

Ach as a flaithiúlacht mháithriúil thairg sí an Toyota do Shaoirse, saor in aisce.

'B'fhéidir go bhfuil sé críonna,' a dúirt sí, cé nach raibh b'fhéidir ar bith ann. Mar a thuig Saoirse an cás, b'ionann bliain amháin i saol gluaisteáin nó i saol cait agus seacht mbliana i saol an duine − ar a laghad nuair a bhíonn an gluaisteán ag dul in aois. Dá bhrí sin, bhí Toyota Shaoirse tuairim is ... os cionn céad, pé scéal é. Níorbh ionadh nach n-éireodh leis san MOT.

Maidir le Saoirse, ní raibh sí in ann tiomáint in aon chor go dtí coicís ó shin. Ach chuir sí isteach ar cheadúnas sealadach agus fuair é gan stró. Thug a máthair cúpla ceacht di agus anois bhí ar a cumas an carr a thosú, a choimeád ag gluaiseacht, agus a stopadh. Ní raibh ar a cumas casadh timpeall, tosú ar chnoc ná iompú.

'Tiocfaidh tú isteach ar na mionphointí diaidh ar ndiaidh,' arsa a máthair. 'Níl cnoc ar bith idir Baile Átha Cliath agus Trá Lí, pé scéal é. Agus ina dhiaidh sin beidh tú i gCiarraí, áit nach mbacann éinne le rialacha an bhóthair. Beidh tú i measc cairde ansin!'

Dhein sí an saghas gáire – leathíoróineach, leathghrámhar – a dhéanann daoine a mbíonn cónaí orthu i gCluain Sceach agus iad ag trácht ar iarthar na hÉireann.

'An t-aon rud atá dearfach ná nach féidir le héinne maireachtáil gan ghluaisteán amuigh ansin i gCorca Dorcha ... gabh mo leithscéal, Corca Dhuibhne. Nó in áit ar bith ar an taobh sin tíre.'

Bhí a fhios ag Saoirse go raibh an ceart ag a máthair. Ghlac sí go fonnmhar leis an mbronntanas. Bheartaigh sí tiomáint go mall go Ciarraí. Mura rachadh sí thar thríocha míle san uair, thiocfadh sí slán, a cheap sí.

'Stop ag McDonalds's, tá ionad maith páirceála ansin,' arsa a máthair. 'Ná stop i mbaile margaidh mar an tAonach nó Chluain Meala nó Áth Dara. Má dhéanann, ní bheidh tú in ann an carr a pháirceáil. Agus má éiríonn leat é a pháirceáil ní éireoidh leat éalú ó d'ionad páirceála. Ná stop,' a dúirt sí arís, 'i mbaile beag margaidh ar bith, nó ní shroichfidh tú Dún Dearg go deo.'

Ghlac Saoirse leis an gcomhairle sin. Thiomáin sí, gan stad, go dtí go bhfaca sí an 'M' mór, comhartha inaithnid ag gach ball den chine daonna nach mór i dtús an 21ú haois, ag an gcúinne ar a dtugtar Ionad Siopadóireachta an Chorráin i mbruachbhailte Luimnigh. Chonaic sí é, agus d'aithin sí é, agus is baolach go bhfuair sí boladh na mborgairí agus í ag druidim leis. Ach níor stop sí. Bhí an chos ar an troitheán aici agus bheartaigh sí í a choimeád san áit ina raibh sí. Bheartaigh sí leanúint léi, gan stad, go dtí go raibh a ceann scríbe bainte amach aici. Tríocha míle san uair a bhí á dhéanamh aici, í sa treas giar an t-am ar fad; a máthair a mhol di tiomáint sa ghiar sin, go dtí go mbeadh níos mó taithí aici ar an ngluaisteán.

Thiomáin sí léi, trí bhailte turasóireachta mar Áth Dara agus trí bhailte gnó ar nós an Chaisleáin Nua. Thiomáin sí tríd an mbaile fada tanaí ar a dtugtar Mainistir na Féile agus tríd an mbaile gearr leathan ar an tugtar Oileán Chiarraí, cé nach ar oileán atá sé tógtha ach ar eanach. Thiomáin sí trí na bruachbhailte a dhein Trá Lí a bhypassáil, thart ar an Aquadome mór glas, ardeaglais an uisce, agus trasna Dhroichead Bhlennerville. Le súil amháin chonaic sí muileann gaoithe agus an scioból mór gránna ina raibh bád seoil, an 'Jennie Johnston', á thógáil i múnla báid a sheol ó Thrá Lí go Meiriceá aimsir an Ghorta. Thiomáin sí timpeall Shliabh Mis, tríd an gCam agus Abhainn an Scáil agus Lios Póil agus an Daingean.

Thiomáin sí léi ar feadh trí uair an chloig déag. Agus nuair a bhí an éanlaith ag dul isteach ina nead bheag féin agus na ba ag luascadh leo abhaile, nuair a bhí clapsholas an tráthnóna ag druidim chun deiridh agus gealach bheag bhán le feiceáil os cionn na sléibhte, shroich sí Dún Dearg. Bhí sé a seacht a chlog. Bhí sí díreach in am chun radharc a fháil ar an ngleann mór ar thaobh na farraige, dath éadrom, mistiúil, miotasach ar na páirceanna, sliabh ard dúghorm ar thaobh amháin den ghleann, an fharraige dhorcha ar an taobh eile.

Gleann mór fairsing ba ea é, caite idir an fharraige ar thaobh amháin agus sliabh maorga ar an taobh eile. Ag rith trí lár an ghleanna bhí bóithrín beag tanaí, ar nós ribín. Ar thaobh na farraige den ribín bhí teach tábhairne agus ionad oidhreachta – d'aithin Saoirse an dá rud, toisc go raibh comharthaí ar an mbóthar a thug le fios cad a bhí ann. Ar an taobh eile den ribín, idir na sléibhte agus an bóthar, bhí páirceanna glasa agus iad breactha go tiubh le tithe beaga bána. Bhí na tithe caite anseo is ansiúd, scaipthe gan patrún ar bith, mar a bheadh blúiríní páipéir a chaith duine éigin amach as ciseán bruscair agus a d'imigh le gaoth, ag titim pé áit ar thoiligh siad féin. Bhí deatach ag éirí aníos as cuid de na tithe agus cuid acu gan deatach ar bith. Bhí soilse ar lasadh i gcuid acu agus a bhformhór gan solas ar bith.

Is i gceann de na tithe sin, teach éigin gan deatach gan solas, a bheadh Saoirse ina cónaí go ceann trí mhí. Ach cén ceann?

Bheartaigh sí ceist a chur ar dhuine éigin. Stop sí an Toyota ar thaobh an bhóthair lasmuigh den teach tábhairne. 'An Naomhóg' an t-ainm a bhí ar an áit. Chomh luath agus a thuirling sí den ghluaisteán thosaigh sí ag rith. Rith sí isteach sa teach tábhairne chomh tapa agus a bhí inti; isteach go dtí an leithreas. Ar ámharaí an tsaoil, bhí sé díreach laistigh den doras tosaigh. Shuigh sí síos agus í breá sásta léi féin. Trí uair an chloig déag a thóg an turas uirthi. Ach níor lig an carr síos í. Níor lig a scileanna tiomána síos í. Agus níor lig a lamhnán síos í. Ní raibh sí i leithreas ó d'fhág sí teach a máthar ag a sé a chlog an mhaidin sin.

Ba mhór an faoiseamh di anois leas a bhaint as áiseanna 'An Naomhóg'. I ndiaidh di a gnó a dhéanamh, a haghaidh a ní, a cuid gruaige a chíoradh, smideadh a

chur ar a súile agus ar a beola, í féin a dhíbholú, agus
cúpla rud beag eile a dhéanamh chun í féin a chur in
oiriúint d'ardán Dhún Dearg, d'fhág sí seomra na
gclócaí agus shiúil go mall trasna go dtí an beár.

Seomra mór amháin a bhí sa 'Naomhóg'. Bhí sé
déanta suas ar nós teach tábhairne a bheadh lasmuigh
de Londain in aimsir Chaucer, b'fhéidir – an teach
tábhairne ag Southwark, nó teach ósta ar a mbeadh
ainm ar nós 'The Bull and Bacon' nó 'The Barley Mow'
in Oxfordshire. Is é sin le rá, bhí plancanna dubha
adhmaid ar an tsíleáil, agus plancanna donna adhmaid in
áiteanna eile. Bhí an t-urlár déanta as slinnte liatha, agus
bhí na ballaí garbha bán le haoldath. Ar thaobh amháin
den seomra mór seo bhí beár fada dubh.

Bhí an chuid is mó den seomra folamh. Ní raibh
duine ar bith laistiar den bheár. Ach lasmuigh dó bhí
triúr fear ina suí, caipíní ar a gceann agus féasóg fhada ar
gach fear acu. Chuir siad an seachtar abhac i gcuimhne
do Shaoirse, cé nach raibh ann ach triúr acu. An Triúr
Abhac. Ba léir gur shampla de mhuintir na háite na
daoine seo. Thuig Saoirse an méid sin toisc na caipíní a
bhí ar a gceann acu. Mar shuaitheantais a chaith siad iad,
chun a thabhairt le fios do gach éinne cérbh iad féin.
Bhí an chuid eile dá bhfeisteas coitianta go leor, cé go
raibh sé tútach ar bhealach éigin. Ní bhuailfeá le fir
gléasta mar iad ar Shráid Grafton nó sa Winding Stair,
mar shampla. Mar sin féin, ní raibh Saoirse in ann a rá
go díreach cén marc speisialta a bhí ag baint lena
mbrístí, lena léinte, lena seaicéid. Ach bhí rud éigin ann.

Bhí na fir ina dtost, ag ól leann dubh agus ag
breathnú ar 'News Roundup' ar an teilifís.

Chuaigh Saoirse suas chucu.

'Hello!' a dúirt duine acu, fear a raibh féasóg fhada liath air agus caipín beag gorm ar a cheann aige. 'Bhfuil tú ceart go leor?'

Béarla a labhair sé agus shíl Saoirse go mbeadh sé drochbhéasach iad a fhreagairt i dteanga ar bith eile, ar eagla na heagla.

'Táim ag lorg theach Philib Uí Chadhla,' a dúirt sí.

'Pilib File? Cara leat é?' a dúirt an dara fear, fear a raibh féasóg fhada fhionn air agus caipín beag dearg.

'Bhuel, táim ag tógáil an tí ar cíos go ceann tamaillín.'

'Ó! Is maith sin!' a dúirt an tríú fear, fear a raibh féasóg fhada dhubh air agus caipín beag uaine.

Dhein siad miongháire, agus dhein Saoirse miongháire freisin, cé nár thuig sí cén fáth. D'fhéach sí go géar ar na féasóga. An amhlaidh a bhí cruinniú de chlub éigin ar siúl? Club na bhFéasóg?

'Níl a fhios agam cá bhfuil an teach. An bhfuil a fhios agaibhse?'

Ní raibh deifir orthu an cheist a fhreagairt.

'Bhfuil tú i d'aonar?' a d'fhiafraigh fear na féasóige duibhe. Fuair Saoirse amach ina dhiaidh sin gur Danny a bhí air siúd.

Smaoinigh Saoirse ar feadh soicind nó dhó. Ar cheart di a admháil do dhream mar seo go raibh sí ina haonar?

'Tá, i láthair na huaire,' ar sí.

Bhreathnaigh siad ar a chéile arís. Chaoch an fear fionn súil leis an bhfear dubh, agus bheartaigh Saoirse cur lena bréag.

'Tá cara liom ag teacht anseo níos déanaí?'

'An ndeireann tú liom é?' arsa an fear na féasóige léithe. 'Is maith an rud é cuideachta a bheith ag duine, gan aon agó.'

'Éirigh as, a Mhicí,' arsa fear na féasóige finne, os íseal. Paddy a ainm siúd. D'iompaigh sé ar Shaoirse arís. 'Cad as duit?'

'As Baile Átha Cliath,' arsa Saoirse. Bhraith sí láithreach gur shíl siad go raibh Baile Átha Cliath leadránach mar áit dúchais. Ní foláir nó go raibh siad de shíor ag bualadh le daoine as Baile Átha Cliath. Cén fáth nár dhúirt sí rud éigin níos suimiúla agus níos neamhghnáiche? Muineachán. Nó Ceatharlach. Is annamh a bhuail tú le daoine as Muineachán nó as Ceatharlach in áit ar bith. Ach bhí muintir Bhaile Átha Cliath chomh coitianta le cuileoga, iad i gcónaí le feiceáil i ngach aird den tír.

'Baile Átha Cliath, ambaiste,' arsa Danny, agus an chuma air go raibh sé bréan den chomhrá seo anois.

'Agus thiomáin tú anuas inniu?' a d'fhiafraigh Micí di.

Stad Saoirse ar feadh nóiméid, ag baint pléisiúir as an bhfreagra sarar thug sí é fiú amháin.

'Thiomáin,' ar sise, ag déanamh tréaniarrachta an bród a choimeád as a glór.

'Cathain a d'fhág tú ar maidin?' a d'fhiafraigh sé di ansin.

Níor theastaigh ó Shaoirse freagra a thabhairt ar an gceist sin. Bhreathnaigh sí ar an gclog a bhí taobh thiar den bheár. Tamaillín i ndiaidh a seacht a chlog.

'D'fhág mé ag meán lae,' a dúirt sí.

Bhreathnaigh an triúr fear ar a chéile agus dúirt duine acu 'Hmm'.

'Dhein tú in am maith é,' a dúirt Micí. 'Agus is dócha go raibh an trácht go tiubh, mar a bhíonn i gcónaí na laethanta seo.'

Dúirt Saoirse go raibh.

D'fhiafraigh sí arís díobh cá raibh teach Philib.

'Nach mbeidh deoch agat?' an freagra a fuair sí an uair seo, ó Danny. Roinn Danny agus Micí ualach na cainte eatarthu. Is beag a bhí le rá ag Paddy. 'Ní foláir nó go bhfuil tart ort tar éis an aistir.'

Bhí an ceart aige. Ach bhí tuirse uirthi freisin, agus fonn uirthi an teach a bhaint amach.

'Cad a bheidh agat?' arsa Micí.

'Beidh … uisce agam,' arsa Saoirse.

Bhí Saoirse ag faire ar na calraí. Agus ar aon nós ní raibh fonn uirthi deoch mheisciúil a ól anois le Paddy, Danny agus Micí.

'Uisce? Kerry Spring?' arsa Paddy. Chuir an freagra seo ag caint é.

'Déanfaidh sin an gnó, go raibh maith agat,' arsa Saoirse. 'Táim ag tiomáint.'

Dhein Micí pingin a bhualadh i gcoinne an chuntair agus ar an sprioc tháinig bean mheánaosta go dtí an beár.

'Kerry Spring don strainséir, a Mhéiní,' arsa Micí; 'agus leac oighir ann.'

Bean mhór ghroí a raibh gruaig fhionn agus béal leathan uirthi ba ea Méiní. Dath an róis ina leiceann agus dath gorm ar a súile, fáinní móra airgid ag sileadh óna cluasa, *jeans* gorma agus geansaí mór tiubh dearg á gcaitheamh aici. An chuma uirthi go mbíodh sí go hiondúil i ndea-ghiúmar.

D'fhéach sí go cairdiúil ar Shaoirse.

'Ní foláir nó gur tusa Saoirse,' a dúirt sí.

Baineadh geit as Saoirse. D'admhaigh sí gur sin an t-ainm a bhí uirthi ós rud é nach raibh aon dul as aici.

'Bhíos ag súil leat.' Shín sí gloine agus buidéal uisce trasna an bheáir chuici.

'An raibh?'

'D'inis Pilib dom go mbeifeá ag teacht tráthnóna.'

'Ó! Ach tá Pilib i gCalifornia,' arsa Saoirse.

'Nár chuala tú trácht ar an ríomhphost?' arsa an bhean.

'Bhuel, gosh, sea, gan amhras,' arsa Saoirse agus náire uirthi.

'Tá sé anseo freisin. Ó fuaireamar an leictreachas níl deireadh leis na háiseanna nua-aimseartha atá againn!'

Scairt Méiní amach ag gáire agus dhein Paddy, Danny agus Micí an rud céanna.

Ní raibh a fhios ag Saoirse cad ba cheart a rá leis seo. Dá bhrí sin níor dhúirt sí rud ar bith. D'ól sí an t-uisce, agus í ag fiafraí di féin cathain a d'éireodh léi an pub a fhágáil agus an teach a bhaint amach.

'Rachaidh mé leat go dtí teach Philib anois, nuair a bhíonn tú ullamh leis an deoch sin. Táim cinnte go bhfuil fonn ort an teach a fheiceáil agus socrú isteach,' arsa Méiní.

'Ó!' arsa Saoirse. 'Go hiontach. Ba bhreá liom dul ann anois, mura miste leat.'

'Ar aghaidh linn!' arsa Méiní.

Tháinig Méiní amach ón mbeár agus lean Saoirse go dtí an doras í. Níor fhág sí slán le Paddy, Micí agus Danny agus níor fhág siadsan slán léi sin ach an oiread.

Sarar imigh sí, áfach, d'iompaigh sí agus chaith súil orthu. Bhí an triúr casta ina treo, ag stánadh uirthi. Chomh luath agus a chas sí chaoch siad, gach duine acu, súil léi.

'Slán,' arsa Saoirse, os íseal.

'Slán leat, a chailín,' arsa siad, d'aon ghuth, agus phléasc siad amach ag gáire.

Teach beag deas cluthar a bhí ag Pilib Ó Cadhla, istigh i lár gleanna ar a dtugtar Baile an Mhinistir.

'Is dócha gur chuir an ministir faoi anseo lá den tsaol,' arsa Méiní, agus an doras á oscailt aici.

'An bhfuil ministir sa cheantar anois?' a d'fhiafraigh Saoirse, ar mhaithe le rud éigin a rá. I ndáiríre ba chuma léi faoi iad a bheith ann nó as, ministrí nó sagairt nó éinne den saghas sin. Bean óg as príomhchathair na hÉireann ba ea í. Gan tír gan chreideamh agus bródúil as.

'Níl ná é. Tá sa Daingean gan amhras. Ach is fada an lá ó bhí Protastúnaigh i nDún Dearg. Bhíodar ann aimsir an Ghorta, is dócha, nó roimis sin. Níl a fhios agam cad a tharla dóibh ach pé scéal é níl siad ann anois. Cá bhfuil an solas?'

D'éirigh léi cnaipe an tsolais a aimsiú agus las é.

Seomra amháin a bhí sa teach, agus saghas seomra leapa i lochta os a chionn. Bhí urlár cloiche ann, iarta agus crann ag a taobh agus pota mór ag crochadh air, bord agus cúpla cathaoir, drisiúr agus gréithe geala air. Bhí pictiúr nó dhó ar an mballa, an Croí Ró-Naofa agus San Antaine.

'Tháinig siad sin leis an tigh,' arsa Méiní. 'Ba lena sheanmháthair iad agus níor mhaith leis iad a chaitheamh amach, cé nach dtéann siad leis an *decor* atá ag Pilib. *Decor* atá saghas *post*-Chríostaí, b'fhéidir.'

'Ó!' arsa Saoirse, ag breathnú timpeall uirthi. 'Tá sé go deas. Is aoibhinn liom é mar theach.'

Lig sí osna faoisimh. Bhí áthas uirthi gur teach *post*-Chríostaí a bhí ann, sean agus nua-aimseartha, cóirithe go blasta. D'fhéadfá cuireadh a thabhairt do dhuine ar bith teacht anseo. Mollaí, Marcas, Mrs O'Connor. Mairéad. Éinne.

'Seanbhothán atá ann, ar ndóigh,' arsa Méiní. 'Agus is beag athrú atá déanta ag Pilib air, go bunúsach.'

'Agus an ceart aige!' arsa Saoirse.

'Bhuel, sea, b'fhéidir é,' arsa Méiní.

Bhí Saoirse ag tabhairt faoi deara go raibh an teach fuar. Ní fhaca sí radaitheoir ar bith.

'Cá bhfuil an teas?' ar sise.

'Nár dhúirt sé leat?' arsa Méiní. 'Níl aon teas lárnach aige. Cuireann sé síos tine gach lá.'

'Ó!' arsa Saoirse, agus laghdú ag teacht go tobann ar a háthas. 'Well, gosh! Cosúil le h*Angela's Ashes*!'

Níor dhein Méiní gáire. B'fhéidir nach raibh an scannán feicthe aici? Ná an t-úrscéal léite aici? Bhí a leithéid de dhuine ann. Marcas mar shampla. 'Ní fhéadfainn é a sheasamh,' a dúirt sé. 'An t-anró go léir. Oh, no!' Dhein Saoirse a chur ina luí air go raibh an t-anró measctha le greann, go raibh an scannán thar a bheith scannánúil agus an leabhar thar a bheith dea-scríofa. Agus go raibh an buntáiste leis gur chuir sé ocras ort. Tar éis di an scannán a fheiceáil d'ith Saoirse trí phaicéad sceallóg agus barra seacláide, cé go raibh dinnéar aici sara bhfaca sí é.

Dhein Méiní iarracht rud éigin a rá le sólás a dhéanamh di.

'Is dócha go bhfuil tine leictreach aige in áit éigin in airde staighre.'

'Ó, bhuel. Beidh mé ceart go leor,' arsa Saoirse, ag smaoineamh ar na bochtáin.

'Tá ábhar tine anseo, féach!' Thaispeáin Méiní cis mhór mhóna di. 'Agus tá bia na gcat sa chófra seo.'

Shiúil sí go dtí an drisiúr agus d'oscail é. Laistigh bhí na céadta agus na céadta stán *Whiskas*. Bhí go leor ann chun dhá chat a bheathú go ceann dhá bhliain, ar a laghad.

'Gosh!' arsa Saoirse, na súile ag leathadh uirthi.

'Tá sé an-cheanúil ar a chuid cat, an Pilib céanna. Fuair sé sparánacht de shaghas éigin ón gComhairle Ealaíon agus chaith sé an rud ar fad ar *Whiskas*.' Lig sí osna bheag agus ansin dhein gáire beag. 'Duine bocht macánta is ea Pilib, bail ó Dhia air. Ní ceart é a cháineadh.'

Ní raibh sé ar intinn ag Saoirse é a cháineadh, díreach anois. Bhreathnaigh sí mórthimpeall.

'Ní fheicim na cait.'

'Tá siad thart. B'fhéidir go bhfuil siad lasmuigh. Más amhlaidh atá, tiocfaidh siad abhaile chomh luath agus a osclaíonn tú ceann de na stáin sin *Whiskas*.'

'Cad is ainm do na cait?'

'Criomhthan is ainm do cheann acu, an cat dubh, agus Sayers an duine bán. Máthair Chriomhthain is ea Sayers.'

'Tuigim.'

Shiúil Saoirse go dtí cúl an tseomra, áit a raibh oigheann agus cuisneoir. D'oscail sí an cuisneoir. Bhí sé glan agus folamh.

'Beidh braon bainne uait!' arsa Méiní. 'Agus blúire aráin agus ime. Seo dhuit. D'ullmhaigh mé bosca duit, ionas go gcoimeádfá anam agus corp le chéile go dtí go mbeadh seans agat dul ag siopadóireacht.'

Chuir sé ionadh ar Shaoirse go mbeadh strainséir chomh flaithiúil sin. Ach, ar ndóigh, bhí sí sa Ghaeltacht anois, i measc fhíor-Ghaeil na hÉireann. Bheadh uirthi an méid sin a mheabhrú di féin ionas nach mbeadh iontas uirthi gach uair a bhuail sí le daoine flaithiúla cairdiúla.

'Níor cheart duit an méid sin a dhéanamh,' a dúirt sí, go béasach. 'Chuir tú an iomarca trioblóide ort féin.'

'Tá fáilte romhat, a chailín!' arsa Méiní, agus í ag obair léi, ag líonadh an chuisneora.

'Táim buíoch díot.'

'Tá cáis sa bhosca, agus leathphunt liamháis.'

Ní raibh cáis ite ag Saoirse le dhá bhliain. Léigh sí uair amháin go raibh níos mó calraí i bpunt cáise ná i bpunt seacláide, agus riamh ina dhiaidh sin roghnaigh sí an tseacláid gach uair. Ach bhí sé i gcónaí i gceist aici iompú ar an gcáis nuair a bheadh sí ag dul in aois, lena cosaint ar *osteoporosis*.

'Go hiontach!' a dúirt sí. Cén fáth nach dtosódh sí anocht? Cáis. Sú torthaí. Siúlóid fhada gach lá amuigh faoin aer. Chuirfeadh sí feabhas ar a cuid Gaeilge leis, mar chuid den phacáiste sláintiúil. Ar ais chuig an nádúr. Ar ais chuig an teanga. Ar ais chuig an dúchas.

'Ar ais chuig an bpub!' arsa Méiní. 'Má bhíonn aon rud uait, cuir glaoch orm. Féach, seo dhuit an uimhir ghutháin!'

Thug sí blúire páipéir do Shaoirse agus d'imigh léi.

D'oscail Saoirse an bosca a bhí fágtha ag Méiní. Istigh ann bhí cáis de dhéantús áitiúil, mar aon le harán donn de dhéantús baile, agus im, Kerrygold. Bhí salann agus trátaí agus buidéal maonáise ann, agus buidéal d'fhíon dearg, chomh maith le punt tae agus bosca bainne. Agus barra seacláide, fiú amháin.

Leath na súile ar Shaoirse, amhail is dá mba pháiste í a fuair bosca mór seacláide. D'ith sí píosa beag den arán agus chuir an bainne agus na rudaí eile sa chuisneoir. Bheartaigh sí tine a chur síos agus cuid dá trealamh a thógáil as a cuid málaí sara mbeadh béile aici. Ní raibh ocras uirthi, cé nach raibh rud ar bith ite aici ó d'fhág sí teach a máthar ag a sé a chlog ar maidin. Níorbh ionann é sin agus *Angela's Ashes* a fheiceáil sa *Forum* i nGlas Tuathail, aisteach go leor.

Chuaigh sí in airde ar an lochta.

Urlár adhmaid a bhí ann, agus spás air do leaba shimplí agus do bhosca adhmaid, seantrunc. Ní raibh vardrús ann ach bhí crúcaí ar an mballa a bhféadfaí éadaí a chrochadh orthu. Bhí seilf bheag amháin sa seomra, agus roinnt leabhar air – litríocht chomhaimseartha, filíocht den chuid ba mhó. Bhí roinnt leabhar a bhain le stair na n-ealaíon freisin, rud a chuir iontas uirthi. Cén fáth a mbeadh spéis ag file, nó ag duine ar bith, san ábhar sin? Ar an lámh eile de, cén fáth nach mbeadh?

Thuirling sí agus chuaigh amach. Bhí dorchadas na hoíche ann anois, agus dorchadas tiubh dubh ba ea é freisin. Ar feadh tamaillín níor fhéad sí rud ar bith a fheiceáil. Diaidh ar ndiaidh, chuaigh sí i dtaithí ar an dorchadas. Thug sí faoi deara go raibh roinnt dealbh ar an bplásóg féir lasmuigh den bhothán – rud éigin cosúil le cloch oghaim, agus seanchros chloiche. Ag cloí le ballaí an tí, dhein sí a slí timpeall go cúl an tí.

Baineadh geit aisti ansin. Bhí carbhán mór ina shuí ansin, b'fhéidir fiche troigh ón teach – carbhán a bhí beagnach ar aon mhéid leis an teach féin. Bhí sé faoi dhorchadas agus an chuma air nach raibh éinne ann. Ach cén fáth a raibh sé ansin ar an gcéad dul síos?

Rúndiamhra móra na tuaithe.

Agus í ag dul isteach sa teach arís chuala sí meamhlach. Rith cat dubh and cat bán isteach sa seomra go tapa agus chuaigh díreach go dtí an drisiúr. Sheas siad ansin agus d'fhéach go truamhéalach ar Shaoirse.

'Right, right,' a dúirt sí. 'Bhfuil ocras oraibh?'

D'fhéach an cat dubh uirthi agus searbhas ina shúile. 'Gan amhras, ós rud é nár itheamar rud ar bith ó arú inné.'

'Ní ormsa atá an locht,' arsa Saoirse, ag dul go dtí an drisiúr di agus ag roghnú canna bia as na céadta a bhí ann. Lacha agus sicín i nglóthach a phioc sí. Chomh luath agus a thóg sí as an gcófra é thosaigh na cait ag screadaíl. 'Niaow, niaow, niaow, niaow!' a dúirt siad, d'aon ghuth. Thosaigh Criomhthan, an cat dubh, ag

sracadh chos Shaoirse agus chuir Sayers a cosa féin sa
chófra le taispeáint di gur canna eile a bhí uathu.

'OK, OK,' arsa Saoirse. 'Conas a bheadh a fhios
agamsa cén ceann a shásódh sibh!'

Bhain sí canna leis an teideal 'Mairteoil: Superfeoil' as
an gcófra. Bhí sé ríshoiléir nach ndéanfadh sin an gnó
ach an oiread. An tríú ceann a thóg sí as ná 'Bradán agus
Tuinnín'. Chomh luath agus a chonaic siad sin, thosaigh
na cait ag crónán. Rith siad trasna go dtí an tine, áit a
raibh dhá bhabhla bheaga ar an urlár.

'Bingo!' arsa Saoirse. D'oscail sí an canna agus roinn
é idir an dá bhabhla.

'Go raibh maith agat! Maith, maith, maith agat' arsa
Sayers. Níor ith sí a cuid láithreach. Samhlaíodh do
Shaoirse go raibh altú roimh bhia á rá aici. Tar éis
nóiméid, chuir sí a ceann beag síos agus thosaigh ag
ithe.

Las Saoirse an tine ansin. D'oscail sí an buidéal fíona
agus líon gloine, agus d'ullmhaigh pláta bia di féin. Go
tobann bhí ocras an domhain uirthi. D'ith sí cúpla canta
mór aráin agus cáis. Ansin d'ith sí píosa seacláide. Is
fada ó d'ith sí seacláid agus mhothaigh sí ciontach agus
na píosaí blasta á mungailt aici. Níor chuimhin léi cé
mhéad calra a bhí i mbarra seacláide, ach bhí sí cinnte
de nár bheag an méid é. D'ith sí píosa eile seacláide,
agus d'ól braon fíona. Bhreathnaigh sí ar na cait ina
gcodladh cois tine, agus ar na lasracha ag damhsa sa
tinteán. Bhí an mhóin ag briseadh anuas i bpatrún ar
nós bosca ceoil, agus pictiúir á gcruthú istigh sna
lasracha oráiste. Cailín ag rothaíocht ar bhóthar fada
cúng. Ina dhiaidh sin, seanbhean agus seál dubh thart ar

a ceann agus a cuid guaillí. Agus ansin, mairnéalach ar bord loinge, ag dreapadh ar dhréimire rópa in airde sa spéir.

Bhí an seomra te cluthar. Thosaigh Saoirse ag éirí codlatach. Ní raibh sé ach a naoi a chlog, ach ní raibh d'fhuinneamh inti ach dreapadh suas an dréimire go dtí an lochta agus í féin a chaitheamh isteach sa leaba. Thit a codladh uirthi láithreach.

6

'Tá na cait an-chliste, nach bhfuil?' arsa Saoirse. Bhí sí istigh sa teach tábhairne le Méiní, an lá dár gcionn. Bhí sí tar éis siúl ón teach – leathmhíle slí nó mar sin – sa bháisteach throm a bhí ag stealladh anuas an lá ar fad. Ní raibh sí fliuch toisc go raibh cóta mór agus buataisí fágtha ag Pilib sa chistin, agus bhí Sayers tar éis taispeáint di cá raibh siad.

'Ní chuirfeadh sé ionadh ar bith orm dá n-osclóidís a mbéal agus dá dtosóidís ag caint lá de na laethanta seo!' arsa Méiní. Gaeilge a bhí á labhairt acu inniu, ar chúis éigin. Bhí Saoirse sásta triail a bhaint as ach go háirithe.

'Sea! Tá a fhios agam cad tá i gceist agat!' arsa Saoirse.

'Tá daoine ann a deireann go scríobhann siad an fhilíocht do Philib, agus gur sin an fáth a bhfuil sé chomh cúramach sin fúthu.'

Dhein Saoirse gáire. Ní raibh éinne eile sa teach tábhairne ag an am seo den lá. Bhí Méiní gnóthach ag glanadh agus ag cur rudaí in ord agus in eagar laistiar den bheár.

'Tá carbhán lasmuigh den teach,' arsa Saoirse. 'An le Pilib é sin?'

'Is leis,' arsa Méiní. Ach ar chuma éigin bhraith Saoirse nár theastaigh uaithi a bheith ag labhairt faoi.

'Right,' arsa Saoirse. Níor theastaigh uaithi cur isteach ar Mhéiní ach mar sin féin shíl sí go raibh sé de cheart aici a fhios a bheith aici faoin gcarbhán. 'Cad chuige a n-úsáideann sé é?'

Bhain Méiní searradh as a cuid guaillí.

'Bíonn cuairteoirí aige go minic, go háirithe i rith an tsamhraidh. Tá an tigh féin beag. Úsáideann sé an carbhán mar seomra breise. Nó seomraí breise. Tá dhá sheomra codlata ann.'

'Tuigim,' arsa Saoirse. 'Go maith. Níor luaigh sé sin liom.'

'Is dócha nár smaoinigh sé air,' arsa Méiní, agus í gnóthach ag triomú gloiní.

Leis sin, tháinig fear ard isteach an doras a bhí laistiar den bheár.

'Seán!' arsa Méiní, agus í gealgháireach arís. 'Seo í Saoirse. Tá sí ag cur fúithi i dtigh Philib. Seo Seán, m'fhear céile.'

Shín Seán a lámh chuig Saoirse, agus chroith sí í, ag breathnú air ag an am céanna.

Shíl sí go raibh sé dathúil as an ngnáth. Bhí gruaig dhorcha air, agus súile móra liatha a d'fhéach go géar ar dhaoine, amhail is a thuig sé gach smaoineamh a bhí ina gceann. Craiceann saghas donn air, freisin, agus géaga fada tanaí. Bhí sé gléasta i mbríste de chorda an rí agus i mbuataisí móra leathair, an saghas a bhíonn ar mharcaigh. Bhí seaicéad uaine air, déanta as cadás snasta. Caipín bréidín ina lámh aige.

'Fáilte romhat go Dún Dearg,' a dúirt sé, i nguth íseal fearúil. Labhair sé Gaeilge ach bhí blas neamhghnách uirthi. 'An rabhais riamh anseo cheana?'

Chuimhnigh Saoirse ar Chorca Loraca agus ar Bhernardo Alba.

'Bhí, uair nó dhó, nuair a bhí mé óg,' ar sise.

'Tá tú óg fós, a chailín,' a dúirt sé.

Bhuail croí Saoirse níos tapúla. Ar chúis éigin cheap sí go raibh an nath cainte 'a chailín' corraitheach, ar shlí dheas – ar aon nós, nuair is fear cosúil le Seán a bhain úsáid as. Níor cheart do bhean óg feimineach glacadh leis an teideal 'a chailín' mar mholadh ná mar fhocal ina raibh cion de shaghas éigin intuigthe. Ach mhothaigh sí go raibh cion le brath san fhocal féin, cé gur thuig sí go nglacfadh sí mar mhasla é dá n-aistreofaí go Béarla é.

'Bhuel, tá súil agam go mbainfidh tú tairbhe as do thréimhse inár measc,' ar sé. 'An file tú?'

Mhínigh Saoirse dó gur chun pictiúir a dhéanamh a tháinig sí.

'An-mhaith,' ar seisean. Ach bhí a fhios aici nach raibh suim aige i bpictiúir. 'Agus bhfuil tú socraithe isteach sa teach sin?'

'Táim an-sásta leis!' arsa Saoirse. 'Teach fíorálainn is ea é.'

Bhreathnaigh Seán ar Mhéiní, ceist ina shúile.

'Má bhíonn fadhb ar bith agat ann, cuir glaoch orainn!' a dúirt sé. 'Táimse ag dul ar an margadh. Slán go fóill.'

Agus d'imigh sé leis.

'Táimse freisin ag dul go dtí an Daingean anois, chun beagáinín siopadóireachta a dhéanamh,' arsa Méiní. 'Ar mhaith leat mé a thionlacan?'

Bhreathnaigh Saoirse amach an fhuinneog. Bhí an bháisteach fós ag titim. Ní dhéanfadh sí mórán siúlóide inniu.

'Ceart go leor,' a dúirt sí. 'Bheadh sé sin go deas.'

'D'fhéadfá breathnú timpeall ar an mbaile. Beidh lón agam le beirt chara ag a haon a chlog i mbialann dheas agus bheinn an-sásta dá n-íosfá greim inár dteannta.'

Go tobann mhothaigh Saoirse go raibh an iomarca ag tarlú agus nach raibh smacht aici air. Tharlaíodh sé seo di go minic. Thoilíodh sí rud amháin a dhéanamh, dul go dtí an Daingean chun beagáinín siopadóireachta a dhéanamh, mar shampla, agus ansin go tobann bhíodh sí ag ithe lóin le strainséirí, bhíodh sí ag dul anseo agus ansiúd. Chuirtí an lá iomlán amú uaithi.

Ba bhreá léi seans a fháil socrú isteach agus dul i dtaithí ar an timpeallacht. Agus níor theastaigh uaithi a bheith drochmhúinte agus gan glacadh le muintearas agus le cairdeas.

Níor dhúirt sí ach 'Go hiontach!'

Nuair a shroich siad an Daingean, scar siad tamall agus dhein coinne le chéile arís i bproinnteach ar Shráid na Trá chun lón a ithe. Ní raibh sé de mhisneach ag Saoirse a mhíniú do Mhéiní nach n-itheadh sí lón de ghnáth. Níor theastaigh uaithi smaoineamh ar conas déileáil leis an ócáid – an mbeadh sailéad acu nó mias gann ar gheir a d'fhéadfadh sí ithe? An mbeadh uirthi bia uafásach éigin a ithe, rud éigin a chuirfeadh déistin uirthi agus a dhéanfadh breoite í? Ruaig sí an fhadhb as a hintinn a fhad is a bhí sí ag siopadóireacht san ollmhargadh i lár an bhaile.

Níor thóg sé i bhfad uirthi é sin a dhéanamh — bhí dóthain glasraí agus earraí ar bheagán calraí acu chun fiú amháin ise a shásamh. Tar éis di an tsiopadóireacht a chríochnú, agus a raibh ceannaithe aici a fhágáil i mbosca ag cúl an tsiopa go dtí go mbaileodh sí ar ball é chun é a chur i gcarr Mhéiní, chuaigh sí ag spaisteoireacht timpeall an bhaile.

Bhí a lán le feiceáil. Ní raibh cos leagtha aici sa bhaile le deich mbliana anuas, nó níos mó, agus bhí dearmad déanta aici ar chomh deas, néata, suimiúil a bhí sé — nó b'fhéidir nach raibh an méid sin ann deich mbliana ó shin? Bhí siopaí leabhar, siopaí éadaigh, siopaí seodra, siopaí ceardaíochta — dá mbeadh fonn ort agus airgead go leor i do phóca agat, d'fhéadfá roinnt mhaith ama agus airgid a chaitheamh sa bhaile seo.

Bhí sé taitneamhach siúl timpeall agus díreach breathnú ar na tithe agus ar na siopaí, iad ildaite ar nós bláthanna i ngairdín agus iad go léir maisithe go deas. Sruthán beag ag rith tríd an mbaile agus gairdíní seapánacha ar na bruacha. Lusanna an chromchinn i bpotaí agus boscaí fuinneoige ar fud an bhaile.

Bhí roinnt gailearaithe ann freisin. Stop sí chun na hearraí a bhí á ndíol acu a scrúdú. Tírdhreacha den chuid ba mhó de — radhairc de shléibhte, den fharraige, de sheantithe feirme leis na sléibhte agus an fharraige sa chúlra. Cuid acu bhí siad go maith, mórán nach raibh. Ealaín do na turasóirí. Ní raibh aon chosúlacht in aon chor idir an stuif seo agus an saghas pictiúr a bhí ar fáil in Pink and Black. Is ar éigean a chreidfeadh Mollaí go raibh a leithéid seo á dhéanamh fós — agus á dhíol. 'Oh! Isn't it quaint!' a déarfadh sí go searbhasach. Mura bhfeicfeadh sí poitéinseal de shaghas éigin aisteach, maslach ann. 'How 1950s!' a déarfadh sí ansin. 'I like it, in a way.'

Bhí a fhios ag Saoirse go mbeadh sé ar a cumas pictiúir mhaithe sa stíl seo a dhéanamh gan stró ar bith. D'fhéadfadh sí iad a dhéanamh go tapa, agus, de réir dealraimh, bheadh margadh ann faoina choinne. Ach an mbeadh sí mórálach as a leithéid a dhéanamh? An raibh dualgas uirthi a cuid ama a úsáid ar bhealach éigin eile – chun dul chun cinn a dhéanamh ina cuid forbartha ealaíonta féin, chun forbairt éigin a dhéanamh ar ealaín an domhain?

Chreid Marcas nárbh fhiú rud ar bith ealaíonta a chruthú mura gcuirfeadh sé rud éigin nua le healaín an domhain. Gach aon phictiúr a dhein sé, bhí sé ag iarraidh coincheapa a bhí ann cheana féin a chur faoi bhrú nó a athnuachan leis. Sin nó bhí coincheapa nua á gcruthú aige.

Marcas. Rith sé le Saoirse nár bhraith sí uaithi é ó tháinig sí go Dún Dearg. Is fíor go raibh a íomhá fós ina hintinn, agus go bhfeiceadh sí go minic é, agus í sa teach nó ag obair nó ag siúl timpeall mar a bhí sí anois. Bhí sé mar a bheadh stampa ar a coinsias ach ní raibh san íomhá ach ceann agus guaillí. Níor dhein sí iarracht glaoch air, cé go raibh guthán anseo aici mar a bhí i mBaile Átha Cliath. Rith sé léi, agus í ag breathnú ar na tírdhreacha seanaimseartha, go mb'fhéidir gur chuma léi Marcas a fheiceáil arís. Mar a dúirt na leabhair mhaithe, a bhí fós aici taobh lena leaba, ba luachmhaire an tsíocháin ná na sceitimíní a chuaigh leis an ngrá iomarcach.

Thóg sí cárta ó cheann de na gailearaithe agus chuir ina sparán é. Bheadh uirthi smaoineamh níos géire ar an gceist seo.

Ag am lóin, chuaigh sí go dtí an bhialann chun bualadh le Méiní. Nuair a shroich sí an áit ní raibh Méiní le feiceáil. Shuigh Saoirse sa bheár beag a bhí i halla na bialainne ag feitheamh.

Áit dheas ba ea é, cois farraige. Bhí balla gloine ar thaobh na farraige. Lasmuigh, bhí cuid bád an Daingin, báid iascaireachta, báid phléisiúir, báid de gach dath agus de gach déanamh. Na faoileáin ag eitilt i gciorcail mhóra os a gcionn agus ag screadaíl in ard a gcinn is a ngutha. Cnoic ísle uaine bhoga ar an taobh eile den chuan.

Bhí Saoirse ina suí ansin ar feadh deich nóiméad nó níos mó sular tháinig Méiní, agus beirt eile ina teannta.

'Saoirse!' a ghlaoigh Méiní amach ina guth mór pléisiúrtha chomh luath agus a leag sí súil ar Shaoirse. 'Brón orm go bhfuilimid déanach. Ach lig dom Jason agus Jessica a chur in aithne duit!'

Chroith Saoirse lámh leis an mbeirt. Bean ard thanaí dhathúil ba ea Jessica. Bhí gruaig fhionn uirthi, agus í ag sileadh ina trilseán fada síos go dtína glúine, beagnach. Feisteas de dhéantús Indiach nó Turcach nó b'fhéidir, San Francisco, á chaitheamh aici – pantalún veilbhite, an chuma air gur deineadh sa mheánaois é agus go raibh damháin alla nó feithidí seanaimseartha ag cur fúthu áit éigin ann, b'fhéidir sna pócaí. T-léine bheag dhubh a lig don lucht féachana radharc maith a fháil ar a brollach agus ar a bolg. Bhí muince órga ar a brollach agus cnaipe órga ina bolg aici. Dath saghas donnórga ar a craiceann, freisin, dath an ghainimh – agus bhí rud éigin tirim ag baint leis an gcraiceann freisin, amhail is dá mbeadh clúdach éadrom gainimh caite air.

Fear fionn ba ea Jason, freisin, ach an saghas gnúise air a chuirfeadh bainne i gcuimhne duit, nó uachtar. Súile móra ar dhath na spéire, béal dearg, é ard agus dea-dhéanta. Ní feisteas *hippie* a bhí air in aon chor, ach meascán de *punk* agus de shealgaire, amhail is nach raibh a aigne déanta suas aige cé acu a bhí sé úrnua cathrach nó seanaimseartha tútach. Bhí bríste bréidín air, buataisí móra leathair a bheadh oiriúnach do bháille nó do scríbhneoir a thabharfadh 'An Tiarna Talún' mar ainm cleite air féin. Ach mar bharr air sin bhí léine dhubh agus seaicéad leathair dubh air, stodaí móra airgid ag maisiú an tseaicéid mar aon lena chluasa, a shrón, a theanga agus baill eile nach iad. Meascán de Hitler agus den Seabhac.

'Tá Saoirse díreach tagtha anseo, go Dún Dearg,' arsa Méiní. 'Ealaíontóir is ea í!'

'Ó, go hiontach!' arsa Jessica, agus gáire mór á dhéanamh aici. 'Cén saghas?'

'Pictiúir,' arsa Saoirse go tapa.

Bhreathnaigh Jessica agus Jason ar a chéile agus dearcadh magúil ina súile acu.

'Cad a dhéanann sibh féin?' a d'fhiafraigh Saoirse, i nguth beag dea-mhúinte.

Phléasc siad amach ag gáire.

'Seo agus siúd!' arsa Jason.

'Gach rud!' arsa Jessica.

Thug Jason póg mhór do Jessica, agus bhain liomóg as a tóin ag an am céanna. Bhain Méiní searradh as a guaillí agus bhreathnaigh Saoirse ar an urlár.

'I ndáiríre agus go príomha,' arsa Jessica, ag éirí as an bpóg di, 'eagraímid cúrsaí do chuairteoirí. Tá teach mór againn ar sheaneastát, Caisleán na bhFuipíní. Saghas *resort* atá ann anois, d'fhéadfá a rá.'

'D'fhéadfá,' arsa Jason, 'dá mbeadh fonn ort!' Agus dhein sé féin agus Jessica gáire arís.

'An-suimiúil,' arsa Saoirse, ag ligean uirthi nár thug sí an gáire faoi deara. 'Cén saghas cúrsaí?'

'Gach aon saghas!' arsa Jason. 'Scríbhneoireacht chruthaitheach, potaireacht, leigheas, Tai Chi, Feng Shui, Tai Wan, Taephota …'

'Ó, Jason!' arsa Jessica. 'Éirigh as!'

Thug sé póg di arís. Ansin lean sé leis an liosta:

'Péintéireacht, Luibheanna agus Leigheas, Leigheas agus Luibheanna, Luibheanna agus Cruimheanna, Féinleigheas, Leigheas Eile, Éirí as Tobac, Éirí as an Leaba, Téir a Chodladh …'

Chuaigh siad isteach sa bhialann agus é fós ag liostú na gcúrsaí a d'eagraigh sé.

'Beidh ort teacht timpeall chugainn chun an áit a fheiceáil,' arsa Jessica, agus iad ag suí síos ag bord beag taobh le fuinneog. Bhí an faoileán lasmuigh fós, ag eitilt i gciorcail agus ag screadaíl ar nós na bhfíréan in Ifreann.

'B'fhéidir go mbeifeá féin in ann cúrsa a thabhairt?' arsa Jason, agus an chuma air go raibh sé leath i ndáiríre. 'Pictiúir!'

'Tabhair seans di,' arsa Méiní agus í ag oscailt an bhiachláir. 'Níl sí ach tagtha isteach sa cheantar. Lig di socrú isteach!'

'Tá an ceart agat, a Mhéiní!' arsa Jason. 'Riail a haon, socraigh isteach. Riail a dó, déan cúrsa. Riail a trí, tabhair cúrsa.'

'Oh, gosh!' arsa Saoirse. 'No. Ba mhaith liom bhur n-áit a fheiceáil. Ba mhaith liom cúrsa a thabhairt, más féidir. Chomh luath agus is féidir! Ní bheidh mé anseo ach go ceann trí mhí.'

'Thángamar le coicís a chaitheamh anseo,' arsa Jason. 'Céad bliain ó shin. Nílim dúisithe fós!'

'Ó, Jason!' arsa Jessica. Chas sí i dtreo Shaoirse. 'Níl an áit chomh hidileach agus a cheapfá,' ar sise. 'Dúnmharaíodh bean éigin sa Cham inné.'

Níor chuir Saoirse spéis i gcúrsaí den saghas seo de ghnáth. Dar léi bhí siad ar aon dul le *Coronation Street:* leadránach agus comónta. Ach lig sí uirthi gur chuir an scéal uafás uirthi.

'Ó!' a dúirt sí. 'Bhfuil a fhios acu cé a dhein é?'

'Níl,' arsa Jessica. 'Ceapann daoine go raibh baint éigin aici le drugaí.'

'An gnáthscéal,' arsa Saoirse, go heolach.

'Sea. Is dócha go raibh sí i bhfiacha le duine de na ceannaitheoirí i dTrá Lí.'

'Níl aon trócaire acu,' arsa Méiní. 'Cén saghas saoil ina mairimid?'

'Tá an saol anseo díreach mar atá sé i mBaile Átha Cliath?' arsa Saoirse.

'Níos measa,' arsa Méiní. 'Nach bhfuil an fíon seo go haoibhinn?'

'Tá,' arsa Saoirse.

Chas Jessica ina treo.

'Cuirfimid glaoch ort i gceann tamaillín, i gceann lá nó dhó, agus féadaimis lá a shocrú a bheadh oiriúnach duit.'

'Oiriúnach?'

'Oiriúnach chun teacht ar cuairt chugainn i gCaisleán na bhFuipíní,' arsa Jessica.

'Cá bhfuil cónaí ort?' a d'fhiafraigh Jason di. Bhí Méiní ag scrúdú an bhiachláir go géar, an chuma uirthi nach raibh sí sásta, cé nár thuig Saoirse cén chúis nach mbeadh.

D'inis Saoirse dó go raibh sí ag cur fúithi i mbothán Philib. Cheap Jessica agus Jason go raibh sé sin greannmhar.

'Carachtar is ea Pilib,' a mhínigh Jessica, ag breathnú go tapa ar Jason. Arís bhí a fhios ag Saoirse go raibh rud éigin á cheilt uirthi.

Tháinig an freastalaí timpeall chun an t-ordú a ghlacadh.

Méiní a thug an chéad treoir.

'Beidh anraith agamsa, agus ansin an gliomach *thermidor*, agus breathnóidh arís mé ar an mbiachlár ina dhiaidh sin chun milseog a roghnú.'

'Agus le hól?'

'An Sancerre, mar is gnách,' arsa Méiní. Shuigh sí siar agus í lán sásta léi féin.

Dúirt Jessica go mbeadh anraith aici dá mba rud é nach raibh aon fheoil ann, rud nach raibh. Ina dhiaidh sin bheadh *omelette* agus sailéad aici. Ní raibh fonn ar Shaoirse mórán a ithe, agus bhí an chuma ar gach rud ar

an mbiachlár go raibh sé lán calraí. Bhí sí róchúthail,
áfach, le ligean uirthi go gcuirfeadh sé sin isteach uirthi.
Bheartaigh sí seadóg a bheith aici mar réamhbhéile, agus
roghnaigh sí pláta de bhia trá don dara cúrsa.

'Agus tú féin?' Chas an freastalaí i dtreo Jason.

'Glasraí amháin,' arsa Jason. 'Prátaí, meacain dhearga,
oinniúin, biatas, soilire agus úlla. Iad ar fad a bheith
SOGMALB.'

'Ceart go leor,' arsa an freastalaí, ag scríobh leis.
'Agus le hól?'

'Fíoruisce,' arsa Jessica agus Jason d'aon ghuth. Dúirt
Saoirse go dtógfadh sí fíon dearg. Bhí níos mó calraí
ann ná mar a bheadh i bhfíoruisce ach go tobann ba
chuma léi. Shíl sí go mbeadh sé níos fusa déileáil le
Jason agus Jessica dá mbeadh alcól ag cúrsáil ina cuid
fola, á misniú agus ag cur borradh inti.

'SOGMALB?' a d'fhiafraigh sí. 'Cad é sin?'

'Slán ó GM agus Leasú Bréagach,' arsa Jessica go
simplí. 'Caithfidh tú é a rá i gcónaí. Go hard agus go
soiléir. Faoi dhó más gá. Mura ndéanann tabharfaidh
siad nimh duit.'

Tháinig an freastalaí leis an bhfíon agus an uisce,
agus líon sé na gloiní. D'ardaigh Méiní a gloine.

'Fáiltímis roimh Shaoirse go dtí ár gceantar álainn
Gaelach muinteartha cairdiúil SOGMALB!' a dúirt sí.

'Sláinte!' arsa an bheirt eile, ag ól an uisce. Ansin shín
Jessica a lámh trasna an bhoird. Cheap Saoirse go raibh
sí ag iarraidh a lámh a chroitheadh arís ach ní sin a bhí
uaithi, ach ag iarraidh braon fíona a thógáil.

'Ba mhaith liom é a bhlaiseadh!' a dúirt sí, ag
scigireacht.

'Oh, right!' arsa Saoirse. 'Gan amhras! Glac braon!'

Thóg Jessica an leathbhuidéal agus líon a gloine. D'ól sí go fonnmhar.

'Ní ólaimid,' a dúirt sí. 'I ndáiríre. Ach amháin an fíon a dhéanaimid féin, as sméara. Ach is aoibhinn liom an blas a bhíonn ar fhíon Francach, fiú amháin agus a fhios agam go mbíonn sé lán ceimiceán.'

Chroith Jason a cheann, déistin air.

'As do mheabhair atá tú,' ar sé. 'B'fhearr liom mún cait a ól ná an nimh sin.'

'Ó, Jason! Ná habair rudaí mar sin agus muid ag ól!' arsa Jessica agus í ag sciotaíl.

'Abair leat, a bhuachaill,' arsa Méiní, ag slogadh siar an Sancerre. 'Ní thiocfaidh do chuid focal idir mise agus mo chuid dí.'

'Téann sé i gcoinne ár gcreidimh alcól a ól, i ndáiríre,' arsa Jessica. 'Lasmuigh d'Alcól Lámhdhéanta de Dhéantús Áitiúil a Dhéantar sa Bhaile.'

'Tuigim,' arsa Saoirse. Bhí sí fiosrach faoin gcreideamh a bheadh ag Jessica agus Jason ach níor cheistigh sí iad. Bhí a fhios aici go dtiocfadh gach eolas chuici diaidh ar ndiaidh.

'Daoine macánta is ea iad i ndáiríre!' arsa Méiní, agus í ag tiomáint abhaile tar éis an lóin. 'Fíorbhoihéamach. Tá misneach acu.'

'Bhfuil siad anseo le fada?' arsa Saoirse, agus í ag ceapadh go raibh gach duine 'macánta' dar le Méiní. Níor shíl sí féin go raibh Jessica agus Jason macánta in aon chor. Dá mbeadh focal Gaeilge aici ar 'chancers' sin an focal a roghnódh sí chun cur síos a dhéanamh orthu.

'Táid anseo le trí bliana nó mar sin. Roimhe sin chuireadar fúthu san India, agus san Afraic, agus in áiteanna eile. Inseoidh siad an scéal ar fad duit má théann tú ar cuairt chucu.'

Thiomáin Méiní go tapa ar an mbóthar cúng. Bhí clapsholas ann cheana féin – bhí siad tar éis trí uair an chloig a chaitheamh ag an lón. Bhí cuma bhrónach ghruama ar na toir a bhí ag fás ar dhá thaobh an bhóthair agus ar na blúiríní deataigh a bhí ag éirí ó shimléir na dtithe, ribíní liatha ar chúlra liath na spéire agus na farraige. Bhí Saoirse leath ar meisce agus ní raibh fonn uirthi an chuid eile den oíche a chaitheamh sa bhothán ina haonar.

Thug Méiní go dtí an doras í. Agus iad ag teacht cóngarach don teach chonaic Saoirse Danny, Micí agus Paddy ag siúl ina treo.

'Na habhaic,' a dúirt sí.

'Cad é sin?' arsa Méiní.

'Danny agus Paddy agus Micí. Cad tá á dhéanamh anseo acu.'

'Tá cónaí orthu anseo, a chroí,' arsa Méiní, agus thiomáin sí léi go tapa.

Bhí an bóithrín ón bpríomhbhóthar go teach Philib lán le locháin. Bhí sruthán idir an bóthar sin agus an teach féin. Sruthán beag neamhurchóideach a bhí ann ar maidin ach anois bhí sé ina thuile. Ní raibh droichead ar bith trasna air, gan amhras, ach bhí clocha mar chéimeanna ann. Bhí an chuid is mó de na clocha faoi uisce anois.

Chomh luath agus a d'oscail Saoirse doras an tí rith na cait isteach agus thosaigh siad ag áiteamh uirthi bia a thabhairt dóibh. Leag sí a cuid málaí ar an urlár agus d'oscail canna bia. D'ith siad le fonn é ach ansin thosaigh ag meamhlach arís.

'Cad tá uaibh anois?' a d'fhiafraigh Saoirse díobh. 'Bhfuil tuilleadh bia ag teastáil?'

Shiúil Sayers anonn go dtí an doirteal agus léim in airde air.

'Uisce!' arsa Saoirse. 'An amhlaidh nach bhfuil bhur ndóthain de sin faighte agaibh?'

Thosaigh Sayers ag crónán, a fhad is a bhí Saoirse ag tógáil babhla as an gcófra. Tháinig Criomhthan anall chun breathnú ar a raibh ar siúl.

Chas sí an buacaire ach níor tháinig aon uisce amach.

'In ainm Dé!' arsa Saoirse.

Thriail sí athuair é. Ach braon uisce níor tháinig as.

Bhain sí triail as an leithreas ansin. Ní raibh uisce ar bith sna buacairí sa seomra folctha beag, agus nuair a shruthlaigh sí an leithreas níor líonadh an t-umar arís.

Bhí na cait in éineacht léi agus na trialacha seo ar siúl. Bhreathnaigh siad uirthi agus trua di ina ngnúis. Trua agus drochmheas.

'Nach dtuigeann sí go bhfuil fadhb leis an uisce sa teach seo?' a dúirt siad. 'Ní bhíonn uisce ar fáil ann ach corruair.'

Thóg sí an babhla lasmuigh den doras agus líon é as locháinín a bhí i bhfoisceacht trí troithe den teach. Thug do na cait é. Chuir siad a srón san aer agus dhiúltaigh an t-uisce a ól. Mhothaigh Saoirse gur ag gáire fúithi a bhí siad.

Ghlaoigh sí ar Mhéiní.

'Ní fheadar,' arsa Méiní. 'Fan san áit ina bhfuil tú, a chailín. Tiocfaidh mé i gcabhair ort.'

A fhad agus a bhí sí ag feitheamh ar Mhéiní chuir Saoirse tine síos agus las í. Bhí dorchadas na hoíche tite anois, agus an teach fuar, agus beagáinín tais tar éis na báistí. Ach chomh luath agus a las an tine bhí cuma chluthar air agus bhraith Saoirse go raibh an t-ádh léi a bheith ina cónaí ann. Maidir leis an uisce, bhí sí cinnte go réiteofaí an fhadhb sin gan mhoill. Bheadh a fhios ag Méiní cad ba cheart a dhéanamh.

Ní ise a tháinig, áfach, ach Seán. Bhí sé gléasta ina chóta mór uaine agus ina bhuataisí fada, agus bhí a chuid gruaige fliuch, uisce ag sileadh uaidh agus ag déanamh lochán beag ar an urlár.

'Ó!' arsa Saoirse. 'Cheap mé go raibh tú ag an margadh.'

'Bhí,' arsa Seán, 'ach d'éirigh liom éalú go luath, buíochas le Dia. Anois, cá bhfuil an fhadhb?'

Dhein sé na buacairí agus na píopaí a scrúdú. Chuaigh sé in airde ar an lochta agus bhreathnaigh isteach in umar an uisce.

Ní raibh aon uisce ann.

'Níl uisce ag teacht isteach go dtí an teach in aon chor,' a dúirt sé. 'Nár luaigh Pilib go raibh fadhb ann?'

'Níor luaigh,' arsa Saoirse.

'An diabhal!' arsa Seán. 'Beidh orm breathnú ar an bpíopa atá ag teacht isteach ón mbóthar. Ach níl na huirlisí agam faoi láthair.'

'Right,' arsa Saoirse. Thit a croí. Níor theastaigh uaithi a cuid ama a chaitheamh ag iarraidh braon uisce a fháil.

'Raghad abhaile agus beidh mé ar ais i gceann deich nóiméad. Ná bí imníoch, a chailín,' a dúirt sé go cneasta. 'Beidh réiteach air seo.'

A chailín! Agus í ag breathnú air, é ard agus cumasach ina bhuataisí leathair agus ina chóta ghlas, chreid sí é. Bhí an fhadhb tógtha as a lámha aige, agus thabharfadh sé aire do gach rud.

Ach nuair a bhreathnaigh sé ar an bpíopa ní raibh réiteach na faidhbe aige.

'Níl aon rud bunoscionn leis an bpíopa,' a dúirt sé. 'Ach níl uisce ar bith ag rith tríd. Beidh orainn glaoch a chur ar fhear an uisce.'

'Right,' arsa Saoirse. 'Fear an uisce.'

'Mossy Fitz,' a mhínigh Seán. 'Tá sé ina chónaí ar an gCóngar. Cuirfidh mé glaoch air anois.'

Ach ní raibh Mossy Fitz istigh.

'Cuirfidh sé scairt ar ais ort,' arsa Seán. 'Abair leis go bhfuil fadhb leis an mbrú agus nach bhfuil aon uisce ag teacht isteach sa teach. Abair leis gurb iad an Chomhairle Chontae atá ciontach, go bhfuil do chuid píopaí féin ceart go leor.' Dhein sé miongháire. 'Agus abair leis gur cara liomsa thú agus go mbeidh rud éigin le rá agam leis mura dtagann sé i gcabhair ort!'

'Right,' arsa Saoirse. 'Bhuel, go raibh míle maith agat.'

'Fáilte geala romhat,' arsa Seán.

Bhí sé ina sheasamh ar an tairseach, cos amháin lasmuigh agus cos eile laistigh. Bhí an ghaoth ag séideadh isteach sa teach ag líonadh an tseomra le fuacht agus le taise. Níor thuig Saoirse cén fáth nár fhág sé ach de réir dealraimh ní raibh aon deabhadh air.

Thairg sí cupán tae dó. Bhí sí cinnte go ndiúltódh sé dó ach níor dhein. A mhalairt. Ar a laghad dhún sé an doras agus tharraing cathaoir – cathaoir dheas shúgáin – aníos chun na tine. Nuair a chuaigh Saoirse chun an citeal a chur ar fiuchadh is ea a chuimhnigh sí nach raibh braon uisce sa teach.

'Ná bac, a chailín. Tá tobar laistiar den tigh, taobh thiar den *jalopy* mór sin de charbhán atá ag mo dhuine.'

'Oh, right! Bhuel, fan soicind agus gheobhaidh mé uisce.'

'Ná bac, ná bac! Beidh mé ag imeacht liom!'

'Tá oráiste agam. Agus fíon a thug Méiní dom.'

Níor cheart é sin a rá.

'Dhera, tógfaidh mé braon fíona, más amhlaidh atá an scéal. Cén dochar más Méiní a thug duit é?'

'Right!' arsa Saoirse.

Leis sin thuirling Criomhthan ón lochta agus thosaigh ag rith timpeall na cistine amhail is dá mbeadh sé ar mire.

'Tá an cat sin ag iarraidh dul amach!' arsa Seán. Bhí Saoirse ag líonadh dhá ghloine fíona ar an mbord. D'oscail Seán an doras. Thosaigh Criomhthan ag iarraidh dul i bhfolach laistiar den oigheann ach bhí Seán róthapa dó. Rug sé greim ar a mhuineál agus chaith amach é. Dhún sé an doras. Bhí glór Chriomhthain le clos lasmuigh, agus é ag caoineadh, ach bheartaigh Saoirse cur suas leis. Bhí sí ag éirí bréan den chat sin.

Shuigh sí ar an taobh eile den tine ó Sheán.

'Sláinte mhaith!' arsa Seán, ag ardú a ghloine. 'Go raibh uisce agat ag an am seo amárach!'

'Amen!' arsa Saoirse. D'ól sí braon fíona, agus braon eile. Bhí tine bhreá thíos aici – bhí dóthain móna fágtha ina dhiaidh ag Pilib mura raibh uisce fágtha aige, agus, ag an am seo den bhliain, b'fhéidir gur mhó an tábhacht a bhain leis sin.

Bhí na lasracha ag damhsa agus ag léim, agus scáthanna fada ag rince ar na ballaí. Bhí an chistin te agus cluthar. Ní raibh aon ní le clos ach an ghaoth ag séideadh, an bháisteach ag bualadh i gcoinne an dín, an sruthán ag buaireamh, agus an cat ag screadaíl. Ciúnas na tuaithe.

'Bhfuil aithne mhaith agat ar Philib?' a d'fhiafraigh sí, chun rud éigin a rá.

'Níl,' arsa Seán, agus thuig sí ón tslí ar dhúirt sé é nach raibh meas aige air.

Níor fhéad sí an t-ábhar a athrú go tapa, áfach – sin cumas nach raibh inti.

'Bhfuil sé ina chónaí anseo le fada?'

Bhí sos beag ann agus shíl sí go raibh sé chun freagra borb a thabhairt ar an gceist.

'Lena cúig nó a sé de bhlianta. Fuair a seanmháthair bás agus ar chúis éigin is eisean a fuair an gabháltas seo mar oidhreacht, ní fheadar cén fáth mar tá beirt deirfiúracha aige. Ach tá sé cliste go maith!'

'Tá jab maith déanta aige ar an teach, déarfainn.'

'Ó, tá, tá, gan amhras, tá.' D'fhéach sé le drochmheas thar cuimse ar na ballaí bána, ar na píosaí de throscán geal giúise, ar an mata lámhshníofa dearg ar an urlár liath cloch. 'Tá sé compordach.'

'Ar dhein sé an obair ar fad é féin?'

'Níor dhein. Tá sé go maith leis na lámha, ceart go leor. Is féidir leis dealbhóireacht a dhéanamh mar shampla. Ach fuair sé cabhair óna chairde. Mící, Paddy agus Danny. Bhuail tú leo an oíche faoi dheireadh.'

'Ó, sea!' arsa Saoirse. 'Muintir na háite. Ach, ar ndóigh, is duine de mhuintir na háite tusa freisin! Agus Méiní.'

'Ní as an áit seo domsa,' arsa Seán.

'Ó!' arsa Saoirse. 'Ach labhraíonn tú Gaeilge?'

'Labhraím,' arsa Seán. Níor thug sé a thuilleadh mínithe ar an scéal sin. Chuir sé cúpla ceist uirthi faoina cúlra féin. Bhí sé soiléir go raibh i bhfad níos mó spéise aige san ábhar sin ná i bPilib, mar tháinig athrú ar a ghné agus í ag tabhairt na staitisticí tábhachtacha dó: gur rugadh i Ráth Maonais í, gur oileadh mar ealaíontóir í ach gur oibrigh sí in Pink and Black ar feadh sé bliana, go raibh a hathair marbh, go raibh a hárasán féin aici i mBaile Átha Cliath agus go raibh taithí aici ar a bheith ina cónaí ina haonar.

Ar ndóigh, d'fhiafraigh sé di cén fáth ar tháinig sí chun tréimhse a chaitheamh anseo.

'Theastaigh uaim triail a bhaint as cónaí faoin tuath,' a dúirt sí. 'Agus triail a bhaint as mo chuid ama go léir a chaitheamh leis an ealaín.'

Dhein sé a cheann a chlaonadh agus é ag féachaint go géar uirthi lena shúile móra dorcha. Bhraith sí an fhuil ag dul go dtína ceann – ach an fíon a bhí ciontach, chomh maith leis na súile.

'Aus die Grune,' a dúirt sé. 'Trasna na dtonnta, 'dul siar, 'dul siar. Is glas iad na cnoic i bhfad uainn.'

'Ar bhealach.'

'Tagann a lán daoine anseo, ag lorg faoisimh, nó ealaíne, nó an nádúir.'

'Jessica agus Jason?'

'Leithéidí Jessica agus Jason. Tá a lán Gearmánach ag cur fúthu sa cheantar. Tagann siad chun éirí as rás na bhfrancach. Har, har, har!'

'Har, har,' arsa Saoirse, go béasach.

'Tagann siad anseo, caitheann siad éadaí beagáinín anti-bourgeois, rudaí a mbíonn stríocaí orthu go háirithe. Ní fheadar cén siombalachas a bhaineann le stríocaí?'

'Chaití sna príosúin iad. Agus sna campaí i rith an chogaidh,' a chuimhnigh Saoirse.

'Sea, sea. B'fhéidir. Cuireann siad fúthu ina ngrúpaí i seantithe a bhíonn ag titim as a chéile agus ólann siad drugaí agus téann ag snámh i lár na hoíche gan faic orthu. Déanann siad sin ar feadh bliain nó dhó. Ansin imíonn siad ar ais go Cologne nó Dusseldorf. Nó tógann siad siopa ar cíos sa Daingean agus cuireann gnó ar bun. Agus go tobann tá siad ar ais i rás na bhfrancach arís! C'est la vie!'

'Ní tharlóidh sé sin domsa. Níl sé i gceist agam ach trí mhí a chaitheamh anseo.'

'Agus ansin?'

'Níl a fhios agam,' arsa Saoirse.

7

Tháinig fear an uisce, Mossy Fitz, go luath an lá dár gcionn. Thriail sé na buacairí agus d'éist leis na píopaí. Bhreathnaigh sé isteach san umar folamh. Chuir sé a chluas leis an mballa agus d'éist leis sin. Ansin d'éist sé leis an doras.

Níor thuig Saoirse in aon chor cad a bhí a dhéanamh aige. Agus b'fhéidir nár thuig sé féin.

'Táim chun rud éigin a rá leat,' ar sé, faoi dheireadh. Fear meánaosta ba ea é, agus meánairde ann. Bhí Saoirse á thabhairt faoi deara go raibh dhá shaghas fear i nDún Dearg: fir arda thanaí uaisle ghalánta, ar nós Sheáin, agus fir de dhéantús Mhossy, beag agus ramhar. Ní fhaca sí aon fhear a bhí beag agus caol. Bhí na mná go léir cuibheasach beag, ar an lámh eile de, cuid acu beathaithe agus cuid nach raibh. Aon bhean ard ba Ghearmánach í.

'Sea?' arsa Saoirse. 'Abair leat.'

Ní raibh muinín aici as, ach bhí sí fós dóchasach. Bhí sí tar éis buicéad uisce a tharraingt ón tobar, agus bhí a fhios aici go bhféadfadh sí sracadh léi ar an mbealach sin. Ach b'fhearr léi uisce a bheith sna buacairí, agus sa seomra folctha thar aon ní.

'Níl an t-*infra structure* suas chun dáta,' a dúirt sé go húdarásach.

'Nach bhfuil?'

'Níl, ná é. Creid é, a chailín. No! Tá óstán nua i nDún Dearg. Tá brú nua ann. Tá leathchéad tigh nua tógtha ann le deich mbliana anuas.'

Ghlac sé sos beag óna chuid cainte agus bhreathnaigh amach tríd an fhuinneog, cuma fheargach, mhíshásta, shearbh ar a aghaidh. Comparáid idir Dún Dearg mar a bhí fadó – na toibreacha lán go béal le huisce, na píopaí ag gliogaireacht ar nós patachán leanaí agus na buacairí ag canadh agus ag moladh an *group scheme* – agus Dún Dearg mar a bhí anois – Sahara ina mbíonn an bháisteach ag titim cúig lá sa tseachtain ar meán ach ina mbíonn na píopaí folamh.

'Humph!' a dúirt sé. 'Hahrhahr agus Humph! Tá *showers* i ngach aon tigh díobh agus sna seantithe leis. Níl duine ar bith i nDún Dearg nach mbíonn ag tógáil *shower* gach lá. Cuid acu dhá uair sa lá.'

Stop sé chun ligean don eolas seo suncáil isteach.

'Cuid acu, tógann siad *shower* ar maidin agus *shower* tráthnóna, agus *shower* arís i lár na hoíche. An dtuigeann tú cad tá á rá agam?'

'Tuigim,' arsa Saoirse. 'Oh, right!'

'Ach bhfuil feabhas ar bith curtha ar an gcóras uisce?'

Chaoch sé a shúil. Dhein sé gáire crosta feargach. Bhuail sé a chos i gcoinne an urláir.

Cheap Saoirse go raibh freagra na ceiste aici. D'fhiafraigh sí de, áfach, dá mba rud é go raibh daoine eile in ann *shower* a thógáil dhá uair in aghaidh an lae, conas a tharla sé nach raibh sise in ann cupán tae a dhéanamh uair amháin, fiú.

Bhain an cheist sin geit as. Stop sé ag satailt a cos agus ag caint. Smaoinigh sé ar feadh soicind nó dhó.

'Ró-ard, a chailín,' a dúirt sé, i nguth brónach. 'Tá an tigh ró-ard. Ní féidir leis an uisce dreapadh suas go dtí an tigh seo.'

'Right!' arsa Saoirse. 'An gciallaíonn sé sin nach mbeidh uisce agam in aon chor?'

Dhein sé gáire beag cineálta.

'Ó, ní chiallaíonn,' a dúirt sé, agus spleodar air. 'Déanfaidh mise mo dhícheall ar do shon, a stór. Bí cinnte de sin.'

Níor thuig Saoirse cad a bhí i gceist.

'Ní ligfidh mé síos thú,' a dúirt sé arís, béim á cur aige ar na focail.

'So, cathain a cheapann tú a bheidh uisce agam?'

'Sin rud nach bhféadfainn a rá,' ar seisean. 'Caithfidh mé a bheith fírinneach. Níor mhaith liom bréag a insint. Ach ní ligfidh mé síos thú. Tá m'uimhir ghutháin agat, nach bhfuil?'

'Tá,' arsa Saoirse.

'Bhuel, más ea,' ar seisean. 'Más ea, beidh tú ceart go leor.'

B'fhearr le Saoirse uisce sa bhuacaire ach b'éigean di a bheith sásta lena uimhir ghutháin.

Tar éis dó imeacht, chuaigh Saoirse timpeall go dtí an tobar chun buicéad eile uisce a fháil. Bhí dhá bhuicéad sa chistin, rud a chuir iontas agus áthas uirthi inné. Anois bhí sí ag ceapadh nárbh aon chomhtharlúint é.

Bhí an tobar laistiar den charbhán. Níor thobar den ghnáthshaghas é, ach píosa mór de phíopa aispeiste, nó rud éigin mar é, agus fíoruisce ag sileadh as. Bhí an píobán ag gobadh amach ón gclaí, é clúdaithe le féar agus le toir agus le fásra de gach saghas. Ní raibh le déanamh ach dreapadh isteach sa chlaí agus an buicéad a chur faoin bpíopa. Bheadh ar Shaoirse é seo a dhéanamh go minic gach lá chun umar an leithris a choimeád ag feidhmiú, gan trácht ar í féin a ní.

Chuir sí síos an buicéad agus scrúdaigh an carbhán. Bhí an doras fós faoi ghlas – dhein sí dearmad labhairt le Méiní faoin eochair arís. Bhí cuirtíní beaga ar na fuinneoga freisin, agus iad tarraingthe ionas nach bhféadfá faic a fheiceáil laistigh. *Eyesore* ba ea é. Bhí sé beagnach ar aon mhéid leis an teach, agus chlúdaigh sé an cúlghairdín ar fad. Mar bharr ar an donas, cheil sé an radharc a bheadh agat ó fhuinneog na cistine, ceann de na radhairc is deise sa cheantar, nó i gceantar ar bith faoi ghréin.

Fuair sí glaoch ó Jessica ag am lóin. Thug sí cuireadh di teacht ar cuairt chun a n-áit siúd a fheiceáil an tráthnóna céanna sin. Ní raibh Saoirse ag súil le cuireadh a fháil chomh luath sin, ach dúirt sí go rachadh sí chucu.

'Beidh greim le hithe againn!' arsa Jessica. 'Ach tar go luath sara n-éireoidh sé dorcha.'

I lár an tráthnóna, mar sin, thosaigh Saoirse ag tiomáint i dtreo Chaisleán na bhFuipíní. Turas deich míle nó mar sin a bhí ann, timpeall an chósta go dtí an chéad leithinis bheag eile.

Bhí an ghrian ag dul faoi nuair a shroich Saoirse seangheata bán ar thaobh bóithrín. Bhí an fógra seo crochta ar an ngeata:

CAISLEÁN NA bhFUIPÍNÍ
IONAD LEIGHIS AGUS CULTÚIR
(066-56500; fuipin@eircom.net)
DÚN AN GEATA!

Bhí pictiúr beag d'fhuipín ar an gcomhartha chomh maith. Bhí ar Shaoirse tuirlingt agus an geata a oscailt, agus ansin stopadh, tuirlingt, agus é a dhúnadh. Ina dhiaidh sin thiomáin sí leathmhíle nó mar sin ar lána fada pollta a bhí leathchlúdaithe ag sceacha agus toir, go dtí gur shroich sí an Caisleán.

Ní caisleán a bhí ann, ach seanteach mór clúdaithe le heidhneán. Bhí doras i lár baill agus sé fhuinneog ar gach aon taobh de. Bhí an chuma air gur teach reachtaire é lá den tsaol, dar le Saoirse, uaisleacht dhealbh ag baint leis, díreach an saghas uaisleachta a thaitin le Saoirse. D'ardaigh a croí agus í ag bualadh ar an doras.

'Hi!' arsa Jessica. Bhí sí gléasta i *jeans* inniu, agus bhí seál mór dubh tarraingthe timpeall a guaillí aici. 'Tar isteach!'

Tháinig Saoirse isteach. Seomra mór a bhí laistigh, saghas halla agus seomra suí. Bhí seantroscán compordach ann, agus a lán málaí pónairí agus cúisíní ar an urlár, coinnle ar lasadh agus tine mhór sa tinteán. Bhí boladh túise san aer.

Bhí bean ina suí ar tholg mór cois tine.

'Dia duit,' ar sise, go cairdiúil, nuair a chonaic sí Saoirse. 'Mise Patsy.'

Chuir Jessica Saoirse in aithne di.

Bean óg ba ea Patsy, b'fhéidir in aois a tríocha nó mar sin. Bhí sí beag agus tanaí, agus an-álainn ar fad. Gruaig fhada chasta dhubh uirthi agus súile dorcha dubha ina ceann. Bhí sí gléasta go simplí ach go faiseanta, i mbríste dubh agus i ngeansaí dubh. Fáinní móra airgid sna cluasa an t-aon rud a thug faoiseamh don tsúil ón duibhe ar fad. I bhfocail eile, bhí an chuma uirthi gur Baile Átha Cliathach í, cosúil le Saoirse féin. Ní raibh aon rian de bhréidín nó d'olann nó de *hippie*achas Dhún Dearg le feiceáil uirthi.

'Tá cónaí orm cóngarach duitse,' arsa Patsy. 'Ar bharr Shliabh an Iolair, nach mór.'

'Right!' arsa Saoirse. 'Ó, sea, right!'

'Tá ceardlann photaireachta agam,' arsa Patsy, 'agus bím ag gabháil do chúrsaí ríomhaireachta chomh maith, ós rud é go bhfuil sé deacair maireachtáil ar photaí amháin!'

Thug Jessica gloine fíona do Shaoirse.

'Dhein mé féin é,' a dúirt sí, 'as caora troim.'

Bhlais Saoirse an fíon. Bhí sé searbh. Blas air mar a bheadh ar thuirpintín, agus fo-bhlas éigin nár aithin Saoirse.

'Go hálainn,' a dúirt sí.

Shuigh sí ar an tolg.

'Cá bhfuil Jason?' a d'fhiafraigh sí.

'Tá sé amuigh ag baint móna,' arsa Jessica. 'Tá cearta móna ag dul leis an ngabháltas seo agus bainimid leas astu, cé go bhfuilimid amhrasach faoi mhóin a bhaint ó thaobh na timpeallachta de.'

'Truailliú is ea é,' arsa Patsy, go feargach. 'Ní fada go mbeidh an mhóin go léir ídithe agus ní bheidh againn ach carraigeacha loma thart anseo.'

'Right!' arsa Saoirse. Uaireanta bhraith sí go raibh an saol lán d'fhadhbanna ollmhóra nár fhéad sí déileáil leo, nó fiú amháin a choimeád ina ceann.

'Idir dhaoine ag baint móna agus chaoirigh ag ithe na sléibhte is gar go mbeidh gach rud imithe uainn!' arsa Patsy.

'Is dócha go bhfuil an ceart agat?' arsa Saoirse agus í ag súimíneacht a cuid fíona go cúramach. Ní raibh sé ródhona, a shíl sí, nuair a chuaigh sí i dtaithí air cé nach raibh aon chosúlacht idir é agus an gnáthfhíon a cheannófá sa siopa. Ach d'ól sí fíon de dhéantús baile roimhe agus bhí sé níos measa ná seo. Bhíodh sé de nós ag a máthair fíon a dhéanamh fadó, i ndeireadh na n-ochtóidí, nuair a bhíodh gach rud chomh daor gur chreid sí nach raibh a dóthain airgid aici le fíon ceart a cheannach. Ina ionad sin, cheannaigh sí cannaí móra de stuif éigin i siopa a bhí ann d'aon ghnó chun an stuif a chur ar fáil do dhaoine a dhein a gcuid fíona féin sa bhaile i gcófraí teo i mbruachbhailte Bhaile Átha Cliath, agus thug sí faoina cuid fíona féin a dhéanamh ina cófra te féin. Bhíodh buidéil mhóra ramhra agus píopaí gloine ag lúbadh astu ag gliogaíl leo sa chófra te an t-am ar fad, ar nós árthaí a bheadh ag eolaí díchéillí i seanscannáin James Bond. An-trioblóid ag baint le déantús na fíona, agus trioblóid ag baint lena ól, freisin. I ndeireadh na dála is ar éigean a d'fhéadfaí é a shlogadh siar, bhí sé chomh searbh sin.

Ach níorbh amhlaidh don stuif seo a bhí déanta ag Jessica. Bhí sé searbh, ach dá mba rud é go raibh sé de mhisneach agat an chéad ghloine a ól, bhí sé furasta go leor an dara ceann a shlogadh. Agus tar éis dhá ghloine, mheasfá go raibh blas cuibheasach maith ar an deoch, cé nach ndéarfá riamh go raibh sé blasta. D'éirigh le Saoirse gloine a chríochnú gan mórán a fhulaingt, agus ghlac sí an dara gloine. Dhein Patsy agus Jessica an rud céanna.

Scaoil an fíon a dteanga.

D'fhiafraigh Saoirse de Jessica cad a bhí ar siúl san ionad leighis agus cultúir i láthair na huaire.

'Faic, chun na fírinne a insint,' arsa Jessica. 'Táimid ag glacadh sosa, d'fhéadfá a rá. Sos éigeantach, mar a déarfá.'

'Ó!' arsa Saoirse, agus aiféala uirthi gur chuir sí an cheist. 'Bhuel, tá áit álainn agaibh anseo. Táim cinnte go mbeadh fonn ar a lán daoine teacht.'

'D'éirigh go maith linn ar dtús, nuair a thángamar anseo,' arsa Jessica. Labhair sí go mall, agus níor bhreathnaigh sí ar Shaoirse agus í ag caint, ach isteach sa tine. 'Ach le déanaí … níl a fhios agam.'

'Tá dream ag teacht an tseachtain seo chugainn, nach bhfuil?' arsa Patsy, go tapa agus i nguth deimhneach. 'Níl aon laghdú tagtha ar spéis daoine san ionad, dar liom. Ach ní bhíonn fonn ar dhaoine taisteal ag an am seo den bhliain. Fan go dtí go dtagann an t-earrach!'

'Sea,' arsa Jessica, ag breathnú ar an doras anois. 'Agus conas tá ag éirí leatsa, a Shaoirse, amuigh i nDún Dearg?'

'Níl mórán déanta agam go fóill,' a dúirt Saoirse.
'Nílim anseo ach le trí lá. Ach táim an-sásta.'

'Agus cén fáth ar tháinig tú anseo?' a d'fhiafraigh
Patsy di agus miongháire mór uirthi. 'Cad tá á lorg
agatsa amuigh anseo? Ní gá duit ach leath na fírinne a
insint!'

Dhein Saoirse gáire beag.

'Faoiseamh ón gcathair,' a dúirt sí, agus nuair a dúirt
sí é chreid sí go raibh sé fíor. 'Agus am chugam féin,
chun mo chuid ealaíne a dhéanamh.'

'Bhfuil tú ar thóir fir nó ag teitheadh ó fhear?' arsa
Patsy, go díobhálach, gliondar ina súile.

'Ó, ar thóir fir, ar ndóigh! Cad eile?' arsa Saoirse.

'Beidh obair agat, más ea!' arsa Patsy.

Bhreathnaigh Jessica uirthi agus gráin ina súile.

'Ar mhaith leat an chuid eile den teach a fheiceáil?' a
d'fhiafraigh sí de Shaoirse.

Dúirt Saoirse gur mhaith.

Thaispeáin Jessica na seomraí eile di – seomra an
yoga, seomra na gceardlann scríbhneoireachta, seomra na
healaíne. Bhí siad go léir mar an gcéanna – mór, lom,
gan a lán troscáin iontu. Bhí scuaba i seomra na healaíne
agus pinn luaidhe i seomra na scríbhneoireachta, agus
faic i seomra an *yoga*. Gach seomra acu fuar agus
gruama. Thuig Saoirse nach mbeadh fonn ar dhuine
fanacht sa teach seo sa gheimhreadh. Ná sa samhradh
ach an oiread.

'Seo ár seomra leapa féin,' arsa Jessica go tobann,
agus í ag oscailt dorais di. Baineadh geit as Saoirse. Ní
raibh sí ag iarraidh an seomra seo a fheiceáil. Ach thuig
sí go raibh fonn ar Jessica é a thaispeáint toisc go raibh

sí bródúil as. Ní raibh an seomra seo lom agus fuar ach a mhalairt. Bhí an chuma air gur sheomra i ndrúthlann sa domhan thoir ba ea é. Brat dearg ar an urlár, taipéisí órga ar na ballaí. Scáthán mór os cionn na leapa féin. Cúisíní síoda caite anseo is ansiúd ar an urlár.

'Go deas!' arsa Saoirse. 'Go haoibhinn. Oh, gosh!'

Níor dhúirt Jessica faic ach thosaigh ag siúl ar ais go dtí an seomra suí.

Bhí Jason ann nuair a d'fhill siad.

Bhí sé ina shuí in aice le Patsy ar an tolg. Bhí slat slí eatarthu nuair a shiúil Saoirse agus Jessica isteach ach bhí Saoirse cinnte de nach raibh an méid sin eatarthu sarar oscail siad an doras.

'Hi!' arsa Jason. Bhí sé róchairdiúil. Sheas sé agus thug sé póg do Shaoirse. 'Fáilte go Caisleán na bhFuipíní!'

Bhí Patsy ciúin, í ag ól a cuid fíona.

'Is féidir linn ithe anois!' a dúirt Jessica, go mall. 'Bhíomar ag feitheamh ortsa, Jason.'

'Tá brón orm. Bhí mé ag baint móna.'

'Tá a fhios againn,' arsa Patsy, ag ligean uirthi a bheith crosta. 'Táim chun agóid a dhéanamh i gcoinne bhaint na móna lá de na laethanta seo.'

'Agus tá tú fós ag crá an tógálaí sin sa Daingean atá ag iarraidh na *holiday cottages* a thógáil ar an oileán, nach bhfuil?'

'*Over my dead body* a thógfaidh sé a dhiabhal *holiday cottages!*' a dúirt Patsy.

'Agóid, agóid, agóid!' arsa Jason. 'Cé mhéad agóid atá déanta agat i mbliana cheana féin? An buachaill a ghlaoigh "Mac tíre"!'

'Is fearr coinneal a lasadh ná clamhsán faoin dorchadas,' arsa Patsy. 'Má fhanann gach fear maith ina thost beidh an lá ag an donas. Agus mar sin de.' Chaith sí a lámha in airde. 'A dhiabhail, níl leigheas agam air. Tagann fonn orm a bheith ag gearán agus eagraím agóid nó seolaim litir chuig na páipéir. Cén dochar a dhéanann sé?'

Dhein Jason gáire agus bhreathnaigh an bheirt ar a chéile. Bhí tuiscint eatarthu. Bhraith Saoirse arís í, an tuiscint, ceangal mar a bheadh sreang aibhléise.

Bhraith Jessica an rud céanna.

'D'fhéadfaimis ithe,' a dúirt sí arís. 'Tá an *casserole* ullamh le fada.'

8

D'fhág Saoirse Caisleán na bhFuipíní ag leathuair tar éis a deich, agus thiomáin abhaile, ag gluaiseacht go mall cúramach ar na bóithre dubha. Oíche thaitneamhach a bhí sí aici sa chaisleán den chuid ba mhó de. Pé teannas a bhí san aer i dtús na hoíche, leáigh sé agus an dinnéar á ithe ag an gcomhluadar. Dinnéar maith ba ea é freisin — maróg glasraí a bhí thar a bheith blasta cé gur bhreathnaigh sí cosúil le maróg láibe, *sorbet*, torthaí, cáis a rinne Jason, agus tuilleadh fíona. Bhí Patsy in ardghiúmar, ag insint scéalta grinn faoina saol anseo agus roimhe seo, agus cheap Saoirse go mb'fhéidir nach raibh rud ar bith as an tslí idir Jason agus í féin tar éis an tsaoil. Seans nach raibh ann ach a cuid samhlaíochta féin. Bhí Patsy ar dhuine de na mná sin a bhíonn saghas ina cliúsaí le gach éinne. Bhí sí oscailte macánta cairdiúil. Róchairdiúil, b'fhéidir, ach b'in an nós a bhí ag na daoine thart anseo, ag an dream óg boihéamach ach go háirithe.

'Buail isteach chugam am ar bith!' a dúirt Patsy le Saoirse. 'D'fhéadfainn suíomh a dhearadh duit ar an idirlíon, mura bhfuil ceann agat cheana féin.'

Ní raibh suíomh ag Saoirse ar an idirlíon. Ní raibh ríomhaire aici, fiú amháin, anseo. Sa bhaile, nó i mBarra an Teampaill, bhíodh ríomhaire agus an ríomhphost aici sa siopa. Ach ag éalú óna leithéid a bhí sí ag teacht anseo di. Mar sin féin, thuig sí go raibh an ceart ag Patsy. Chabhródh sé léi a cuid pictiúr a dhíol ach í a bheith ar an idirlíon, dá mbeadh pictiúr ar bith aici le díol, rud nach raibh faoi láthair.

Tháinig lagmhisneach uirthi agus í ag druidim leis an mbothán. Bhí an oíche dubh dorcha gruama, agus go tobann bhuail uaigneas uafásach í. Cad a bhí á dhéanamh aici, ag iarraidh cónaí anseo i measc strainséirí, daoine áiféiseacha leithéidí Jessica agus Jason agus Patsy. Iad uilig beo bocht, idéalach, ag maireachtáil ar bhrionglóidí, ar nós páistí. Nach raibh seafóid ag baint leis an saol a bhí á chaitheamh acu? Féinleigheas, Tai Chi, Feng Shui, ceardlann dó seo agus ceardlann dó siúd. An t-éadóchas le feiceáil ina gcuid súl, ag troid i gcoinne an idéalachais a thug anseo iad.

Smaoinigh sí ar a cuid scuab agus ar a cuid dathanna agus canbhás − na canbháis sin a bhí fós le líonadh. Péintéireacht? Arbh fhiú í a dhéanamh? Bhí an méid sin daoine ag tnúth le bheith ina n-ealaíontóirí! Na mílte agus na mílte agus na mílte, mórthimpeall an domhain, in áiteanna iargúlta cosúil le Dún Dearg, san Iodáil, sa Fhrainc, sna Piréiní, agus súil acu gurbh iadsan a dhéanfadh an beart, gurbh iadsan a chruthódh an saothar iontach a d'athródh saol na healaíne − nó ar a laghad a chuirfeadh athrú ar a saol féin.

I ndáiríre, ní raibh formhór na ndaoine sin chun aon phioc a chur le raidhse ealaíne an domhain. Ní raibh siad chun difríocht ar bith a dhéanamh. A bhformhór, ní éireodh leo iad féin a choimeád beo ar an méid a thuillfidís ar a gcuid oibre. Ag brionglóidigh a bhí siad, na *wannabes* sin ar fad. Faoi dhraíocht ag brionglóid rómánsach, pháistiúil, amaideach, a chuirfeadh amú iad, ionas nach bhfásfaidís suas riamh, ionas nach mbeadh slí bheatha cheart acu, nó saol ceart, go mbeidís gan faic agus iad meánaosta, nuair a thuigfidís go raibh teipthe ar an mbrionglóid.

Ach ar an lámh eile de, smaoinigh ar dhaoine mar Mharcas a chloígh leis an mbrionglóid agus a bhain sásamh agus tairbhe as. Marcas san Íoslainn, ag fáil taithí ar chultúr nua, ag bailiú ábhar nua, ag cruthú pictiúir nua a dhéanfadh difríocht do shaol ealaíne na hÉireann. Nó chreid Marcas go ndéanfaidís difríocht. Chreid sé ón lá a rugadh é go raibh sé féin tábhachtach, agus go raibh feidhm speisialta aige ar an saol seo. Féinmhuinín a bhí aige. Bhí sé sin riachtanach ag éinne a bhí ag iarraidh a shlí a dhéanamh tríd an saol. Ach an cheist a bhí ag Saoirse ná an bhféadfá an iomarca féinmhuiníne a bheith agat? Cá raibh an meán, muiníneach ach ciallmhar ag an am céanna?

Bhí an teach fuar agus uaigneach nuair a chuaigh sí isteach ann, agus níor thug sé sin aon ardú misnigh di. Cé go raibh sé déanach go maith, bheartaigh sí tine a lasadh chun an áit a théamh sula rachadh sí a codladh. Bhí uirthi dul amach go dtí an gairdín chun móin a fháil ar chúl an tí. Nuair a chuaigh sí amach, chonaic sí solas ar lasadh sa charbhán. Rith sí timpeall an tí ach nuair a shroich sí an áit ina raibh an carbhán bhí gach rud dorcha, agus ní raibh solas ar bith le feiceáil. Chuaigh sí go dtí fuinneog an charbháin. Bhí na cuirtíní tarraingthe, mar a bhíodh i gcónaí. Bhain sí triail as an doras ach bhí sé sin faoi ghlas.

An amhlaidh gur shamhlaigh sí an solas?

Thosaigh sí ag bailiú móna, ag cur na bhfód mór tirim isteach sa bhuicéad agus í ar a gogaide. Go tobann, léim rud éigin anuas ar a gualainn. Mhothaigh sí ualach trom ag titim uirthi, ingne ag scríobadh a craicinn. Cuireadh stop le gach rud a choimeád beo í – a croí, a fuinneamh. Bhí sí reoite, ina staic le faitíos. An t-aon rud a bhraith sí ná a cuid gruaige ina colgsheasamh ar a ceann, agus ar a géaga, le heagla.

Tar éis tamaill tháinig neart éigin inti agus scread sí. Léim an cat – an cat a bhí ann, ar ndóigh, Sayers – síos ar an talamh agus rith léi. Shuigh Saoirse ar an talamh, ar ghrabhar na móna, an buicéad taobh léi, agus tharraing anáil go mall réidh ar feadh a trí nó a ceathair de nóiméid.

Ansin baineadh geit eile aisti.

'Bhfuil tú ceart go leor?' a dúirt duine éigin léi.

Seán a bhí ann.

Níor chuala sí ag teacht é. Bhí sé ina sheasamh os a comhair amach anois, a chóta mór uaine air agus tóirse ina lámh aige. Dhírigh sé an solas ar Shaoirse. Thuig sí go raibh cuma ait uirthi, í ina suí amuigh ar charn móna i ndorchadas na hoíche, smúit ar a haghaidh agus a cuid éadaigh. Dhein sí iarracht seasamh ach níor éirigh léi.

'Uh!' a dúirt sí, ag clúdach a haghaidhe lena lámha. 'Airím … airím …'

Thosaigh sí ag caoineadh.

Sciob Seán aníos ina bhaclainn í agus d'iompair isteach sa chistin í. Chuir sé ina luí sa chathaoir mhór í agus chuir ruga thart uirthi. D'fhan sé in aice léi ansin, a lámha thart ar a cuid guaillí.

Dhein sí gáire.

'Níor tharla ach gur léim an cat orm go tobann. Baineadh geit uafásach asam!'

'Ní nach ionadh,' a dúirt sé.

'Agus cheap mé go bhfaca mé solas sa charbhán amuigh ansin. Ach ansin múchadh é, agus ní raibh éinne le feiceáil ann.'

Níor dhúirt Seán faic ina thaobh sin.

'B'fhéidir gur shamhlaigh mé an rud ar fad,' arsa Saoirse.

'B'fhéidir é,' arsa Seán. 'Conas a bheadh solas sa charbhán? Tá sé faoi ghlas agus an eochair in San Francisco, nach bhfuil?'

'Yeah,' arsa Saoirse. 'Is dócha é.'

Tharraing sí an ruga thart uirthi.

'Beidh mé ceart go leor sara i bhfad,' ar sise. 'Táim ceart go leor anois. Más mian leat dul abhaile ...'

'Lasfaidh mé an tine duit ar dtús,' arsa Seán.

Chuaigh sé amach agus tharraing isteach an buicéad móna. Níorbh fhada go raibh tine bhreá ar lasadh. Fuair sé uisce ansin, chuir an citeal ar fiuchadh, agus dhein cupán tae. Shuigh sé síos cois tine, an-chóngarach do Shaoirse.

'Tháinig mé thart le tuilleadh uisce duit,' a dúirt sé. 'Is dócha nach bhfuil sásamh ar bith faighte agat ó Mossy Fitz?'

'Oh, no, níl,' arsa Saoirse. 'Táim ag dul i dtaithí ar gan uisce reatha a bheith agam. I ndáiríre, is cuma.'

'Mar sin féin, níl sé ceart nuair a bhíonn an áis á tairiscint do gach duine eile.'

'Ó, bhuel,' arsa Saoirse, í róthuirseach chun argóint a dhéanamh. Bhí leisce dheas ag rith trína corp anois, agus an teach ag éirí te. Níor theastaigh uaithi ach suí agus a scíth a ligean.

Bhí Seán ina thost ar feadh tamaillín. Shuigh sé ag breathnú isteach sa tine. Ní raibh faic le cloisteáil ach an glór beag a dhein na lasracha agus an ghaoth sa simléar. Ansin chas sé ina treo.

'Tá tú ag socrú isteach mar sin féin?' a d'fhiafraigh sé. Bhí lasair ina shúile agus é ag breathnú uirthi.

'Tá,' arsa Saoirse. 'Gosh, sea. Tá.'

'Go maith,' a dúirt sé, ag tarraingt siar uaithi arís.

Bhí Saoirse leisciúil agus codlatach, ach mar sin féin bhí sí dírithe ar rud amháin – Seán a choimeád in aice léi go ceann tamaillín eile. Níor smaoinigh sí ar cad a bhí á dhéanamh aici nó cén toradh a bheadh air dá n-éireodh léi an rud a bhí roimpi a bhaint amach. Ní raibh mórán roimpi, pé scéal é. Ach bhain sí taitneamh as a bheith cóngarach dó agus bhí dúil éigin istigh inti, fiú amháin agus í leath ina codladh, ag tathant uirthi gan ligean dó éalú.

Nuair a bhíonn sé d'aidhm ag cailín fear a choimeád ina haice is ansin a bhíonn sé deacair smaoineamh ar ábhar spéisiúil cainte a mhúsclódh a shuim inti. Shuigh Saoirse ansin, ag breathnú ar na lasracha ag rince sa tine, ag iarraidh breith ar rud éigin le rá. Níor fhéad sí smaoineamh ar rud ar bith, ach ar ráitis thanaí dhiúltacha mar 'Tá tuirse orm' nó 'Tá sé ag éirí te anois' a chuirfeadh in iúl go mba cheart dó imeacht agus ligean di dul a chodladh. Ar ócáidí mar seo bíonn sé úsáideach ceist éigin pearsanta a chur, chun an leac oighir a bhriseadh. Ach fear pósta ba ea Seán agus bhí a fhios aici nár cheart di a bheith ar an leac oighir in aon chor, gan trácht ar a bheith ag iarraidh í a bhriseadh. Dá bhrí sin bhí leisce uirthi a bheith róphearsanta. Uaireanta chuireadh sé sin scanradh ar fhir, pé scéal é.

'Meas tú an bhfuil Pilib ag déanamh rud éigin as an tslí sa charbhán sin?' a dúirt sí. Ní raibh sé ró-rómánsach mar cheist ach ar a laghad b'ábhar cainte é.

Ach tháinig athrú ar Sheán. Rith an fhuil go dtí a ghnúis agus tháinig cuma fheargach air. Nuair a labhair sé, áfach, ní raibh sé le brath go raibh sé corraithe.

'Ní déarfainn é,' ar sé. 'Duine macánta is ea é, i mo bharúilse. Bíonn sé gnóthach ag déanamh a chuid scríbhneoireachta agus ag dul anseo is ansiúd chuig ceardlanna do dhaoine eile ar mian leo a bheith ina scríbhneoirí agus ag léamh a chuid oibre os ard ag scoileanna samhraidh agus ag scoileanna geimhridh, agus ag tabhairt cuairteanna ar scoileanna faoi choimirce Scéim na Scríbhneoirí sna Scoileanna. Bíonn a lán de sin le déanamh aige. Fear mór scoileanna is ea Pilib – de réir dealraimh tá sé go maith chun páistí a chur ag smaoineamh go cruthaitheach – nó a choimeád ciúin.'

'Gosh!' arsa Saoirse, iontas uirthi toisc nár chuala sí óráid chomh fada sin ó Sheán roimhe seo. 'Right! Bhuel, is dócha go bhfuil an ceart agat. Ach ...'

'Tá tú amhrasach?'

'Tá,' arsa Saoirse. 'Na rudaí a bhíonn ag tarlú anseo. Na cait sin ... agus na habhaic ...'

'Na habhaic?'

'Na fir sa phub. Danny agus iad siúd. Bíonn siad ag snúpáil thart anseo go minic. Níl a fhios agam cén fáth.'

'Tá cónaí ar Danny thíos ag bun an bhóthair. Sin an fáth,' arsa Seán.

'Right!' arsa Saoirse arís. 'OK. Bhuel, right.'

D'éirigh Seán ina sheasamh.

Bhí an rud mícheart ráite aici. Bhí sé chun imeacht. 'Tá sé chomh maith dhomsa dul abhaile,' a dúirt sé. 'Beidh tú ceart go leor, a chailín?'

Cé a chreidfeadh go mbeadh focal beag sean-aimseartha neamh-PC chomh cumhachtach sin? Nuair a dúirt sé 'a chailín' theastaigh uaithi a súile a dhúnadh agus é a tharraingt anuas uirthi.

'Beidh,' a dúirt sí, os íseal.

'Tá a fhios agat cá mbeimid má bhíonn aon rud uait,' a dúirt sé.

Chrom sé agus phóg ar a leiceann í. Níor phóg thapa í ná níor phóg mhall í, ach póg dhearfa, chinnte, láidir, leictreach. Póg a d'fhág *stunned* í ar feadh soicind.

D'imigh sé leis ansin, gan a thuilleadh a rá. Bhraith sí go raibh sí lán suas le háthas, nó fuinneamh éigin iontach. Bhraith sí ar nós crúiscín álainn a raibh lámh lách tar éis a líonadh le fíon milis, bog, luachmhar.

Níor thit a codladh uirthi an oíche sin. Ní raibh tuirse dá laghad uirthi. D'fhan sí ina suí ar feadh i bhfad. Faoi dheireadh, chuaigh sí in airde agus isteach sa leaba agus luigh ansin ag breathnú amach ar Bhealach na Bó Finne, a croí lán de mhothúcháin spéisiúla.

9

Bhí an bháisteach ag titim go trom an mhaidin dár gcionn. Chaith Saoirse an lá ina haonar sa teach, ag cur rudaí in eagar. Chuir sí a seastán in aice leis an bhfuinneog, agus leag a cuid péinteanna agus a cuid scuab ar leac na fuinneoige, réidh chun oibre. Leag sí sceitsleabhar agus bosca peann luaidhe in aice leo – bheartaigh sí dul amach ag sceitseáil chomh luath agus a stopfadh an bháisteach. Idir an dá linn, thosaigh sí ag tarraingt pictiúir de Sayers, a bhí ina codladh cois tine.

Ach níorbh fhada gur oscail an cat leathshúil. Thuig sí go raibh rud éigin neamhghnách ar siúl. Trasna an tseomra léi go bhfeicfeadh sí cad é.

'Fan san áit ina bhfuil tú, a chait!' arsa Saoirse.

'Mise a dhéanann na cinní thart anseo!' arsa Sayers, agus sceitse Shaoirse á scrúdú aici. Ní raibh tarraingthe ach imlíne a cinn ach de réir dealraimh bhí sí sásta leis. Dhein sí crónán agus d'fhill ar leac an tinteáin. Lean Saoirse uirthi ag sceitseáil.

Tháinig Criomhthan isteach ansin agus ní shásódh aon ní é ach a phortráid a bheith déanta leis. Shuigh sé ar ghlúin Shaoirse agus dhein iarracht an leathanach a iompú, chun go mbeadh pár glan aici lena phus siúd a chur air. Bhí sí dulta i dtaithí ar nósanna na gcat aisteach

106

seo cheana féin agus bhí a fhios aici go mbeadh uirthi an rud a bhí á éileamh aige a sholáthar dó.

'Right, 'Chriomhthain,' a dúirt sí leis. 'Téir trasna chun na tine agus déanfar an beart.'

Maith a thuig sé cad ba cheart dó a dhéanamh. Anonn go dtí an tine leis agus shuigh sé suas mar a dhéanfadh seanpholaiteoir agus a ghrianghraf á thógáil ag an *Kerryman*. D'fhéach sé díreach amach thar cheann Shaoirse – sa tslí ardnósach sin a chleachtann réaltaí scannáin nó mainicíní. Ní raibh aon rud le foghlaim ag Criomhthan faoi conas a bheith ardnósach.

Bhí na sceitsí de na cait deas go leor, a shíl Saoirse, ach ar bhealach chuir sé isteach uirthi nach raibh níos mó inspioráide aici ach peataí cat a tharraingt. Tháinig sí anseo chun pictiúir a dhéanamh ach cheana féin bhí sí ag éirí éiginnte faoi na téamaí nó na hábhair a bheadh aici ina cuid pictiúr.

Bhreathnaigh sí amach. Bhí an bháisteach ag glanadh ach fós ní raibh mórán le feiceáil. Sceacha agus dath rua orthu. Deora Dé. Bheidís faoi bhláth sara i bhfad. Luachra ar bhruach na habhann. Sabhaircíní buí, iad neadaithe i gceartlár duilleoga móra glasa agus saghas fionnaidh orthu. I bhfolach anseo is ansiúd, cóngarach do na sabhaircíní, sailchuacha gorma. Iad go léir i bhfolach san fhéar glas fliuch, braonta báistí ag lonrú ar na ribí féir agus ar na bláthanna féin. Meascán de sholas, d'uisce, de na dathanna buí, glas agus corcra.

Nárbh iontach an t-imprisean sin a chur síos ar pháipéar nó ar chanbhás? Conas a dhéanfadh sí é, gan é a bheith cosúil le léaráid i dtéacsleabhar luibheolaíochta, nó le pictiúr ar chárta buíochais nó ar chárta comhbhróin?

Bhí sí ag smaoineamh ar conas déileáil leis an bhfadhb nuair a bhuail an guthán. Phreab a croí. Bhí sí cinnte gur Seán a bheadh ann. Ach níorbh ea. Patsy a bhí ann.

'Beidh mé anseo tráthnóna amárach,' a dúirt sí, 'dá mba mhian leat bualadh isteach. Cabhróidh mé leat an suíomh sin a ullmhú don idirlíon.'

Dúirt Saoirse go mbuailfeadh sí isteach. Mhol Patsy di siúl. 'Níl ann ach trí mhíle. Siúlóid dheas is ea é.' Ghabh Saoirse buíochas léi as ucht na dea-chomhairle agus chinn láithreach ar thiomáint.

Suíomh idirlín. Cad a chuirfeadh sí air? Saoirse? Pictiúir? Radhairc? Portráidí? Cait?

Bhí dhá cheist le freagairt. Cén saghas pictiúr a bheadh daoine ag iarraidh a cheannach? Agus cén saghas pictiúr a bhí sise ag iarraidh a chruthú? Dá mbeadh freagra an dá cheist ag teacht le chéile ag pointe áirithe bheadh léi. Ach níor cheap sí go mbeadh aon rud i bpáirt le chéile ag an dá fhreagra. Seans go mbeidís ag teacht salach ar fad ar a chéile. Dá mbeadh a fhios aici cad a bhí sí ag iarraidh a chruthú – rud nach raibh – ní bheadh éinne ag iarraidh an rud áirithe sin a cheannach. Agus cad a bhí siad ag ceannach? Sa cheantar seo, bhí freagra na ceiste sin soiléir. Pictiúir dheasa réalaíocha de na sléibhte, den fharraige, de locha agus de pháirceanna. Bhí gailearaithe an Daingin lán go béal le pictiúir mar sin.

Nuair a ghlan an aimsir, chuaigh sí amach ag siúl agus thóg léi a ceamara agus a sceitsleabhar. Rinne sí sceitsí agus pictiúir de na sléibhte, den fharraige, de locha agus de pháirceanna. Ar a laghad bheadh ábhar de shaghas éigin aici.

Ghlaoigh sí ar Mossy Fitz ach ní raibh sé sa bhaile.

Níor ghlaoigh sí ar Sheán ná ar Mhéiní agus ní dhearna siad aon teagmháil léi sin ach an oiread.

Lá fada a bhí ann.

Thiomáin sí isteach sa Daingean an lá dár gcionn agus labhair le bean a bhí ina bainisteoir ar an ngailearaí ba mhó ar an mbaile. Gráinne ab ainm di. D'fhiafraigh Saoirse di an nglacfadh sí pictiúir uaithi.

'Más pictiúir de na sléibhte, den fharraige, de locha nó de pháirceanna iad, agus má bhíonn siad cuibheasach maith, glacfaidh,' arsa Gráinne.

'Right!' arsa Saoirse. Bhreathnaigh sí timpeall ar bhallaí an ghailearaí. Bhí gach orlach clúdaithe le pictiúir den saghas sin. 'An mbeadh spéis agat i rud ar bith eile? Portráidí nó pictiúir theibí?'

'Ní bheadh,' arsa Gráinne. 'Níl spéis agam ach i rudaí is féidir liom a dhíol, agus ní féidir liom portráidí nó pictiúir theibí a dhíol. Tá brón orm ach sin mar atá.'

Dúirt Saoirse go bhfillfeadh sí nuair a bheadh pictiúr oiriúnach aici.

'Portráidí!' arsa Patsy. 'Yes! D'fhéadfá a rá go nglacfá le coimisiúin chun portráidí a dhéanamh. Bí cinnte go bhfuil margadh ann dona leithéid!'

Bhí Saoirse i gcistin Phatsy, ina suí ag bord na cistine. Bhí Patsy ag a ríomhaire, ag breacadh síos pointí eolais a bheadh oiriúnach don suíomh a d'ullmhódh sí. Bhí sí fuinniúil agus údarásach, mar a bhí inné. Bhí sí gléasta i bhfeisteas dubh arís, ach bhí smideadh láidir dearg ar a beola, rud a d'oir di. Rith sé le Saoirse go raibh sí thar a bheith dathúil ar a bealach aisteach féin.

'Beidh grianghraf ag teastáil,' a dúirt sí. 'Agus bheadh sé go maith dá mbeadh sampla de do chuid oibre air freisin, nach mbeadh?'

'Yeah, is dócha go mbeadh,' arsa Saoirse. Bhí sí bréan den tionscadal seo cheana féin. Tháinig sí go Dún Dearg chun éalú ó ríomhairí agus ón idirlíon agus ó fhórsaí an mhargaidh. Ní raibh sí anseo ach roinnt laethanta agus cheana féin bhí na fórsaí sin á hionsaí. B'fhéidir nach raibh ar chumas éinne éalú uathu?

'Chomh luath agus a fhaighim an dá rud sin, déanfaidh mé an suíomh duit,' arsa Patsy, go húdarásach. Ní raibh Saoirse cinnte cén mhaith a dhéanfadh sé di suíomh a bheith aici ar an idirlíon nuair nach raibh ríomhaire dá cuid féin aici anseo, ach níor ardaigh sí an pointe sin. Bean ba ea Patsy nárbh fhiú a bheith ag argóint léi. De réir cosúlachta, dhein sí díreach an rud a theastaigh uaithi féin i gcónaí, fiú amháin nuair a bhain sé le saol duine éigin eile.

'Anois!' a dúirt sí, agus an ríomhaire á mhúchadh aici, 'Tae? Nó caife?'

'Beidh caife agam, le do thoil,' arsa Saoirse. Thosaigh Patsy á dhéanamh. Ní raibh pónairí aici, mar a bhí ag Jessica, a mheil iad in inneall beag a bhí aici. Nescafé a bhí sa teach seo. A fhad is a bhí Patsy á ullmhú, bhreathnaigh Saoirse timpeall. Teach cuibheasach mór a bhí ann, dhá sheanbhothán nasctha le chéile ag pasáiste beag. I mbothán amháin, bhí an chistin agus na seomraí codlata, agus sa cheann eile ionad oibre — seomra mór ina raibh binse fada agus uirlisí air. Is ansin a bhíodh

Patsy ag potaireacht. Bhí oigheann ar thaobh amháin den seomra, agus potaí den uile chineál ar sheilfeanna mórthimpeall na mballaí. Bhí potaí sa chuid eile den teach freisin, sa chistin, ar sheilfeanna, ar an drisiúr, ar an urlár.

'Siopa is ea an áit seo,' arsa Patsy. 'Níl aon áit agam atá príobháideach amach is amach. Ach is cuma liom. Ní theastaíonn uaim go mbeadh deighilt ar bith idir mo chuid oibre agus an chuid eile de mo shaol.'

'An mbíonn an doras ar oscailt agat an lá ar fad?' Bhreathnaigh Saoirse ar an doras – leathdhoras – a bhí dúnta anois.

'No, no,' arsa Patsy. 'Bíonn ar chustaiméirí an clog a bhualadh. Ach taobh amuigh de sin, níl cosc ar éinne teacht isteach ag am ar bith más mian leo breathnú ar rudaí.'

Chuir Patsy dhá mhuga caife agus pláta brioscaí ar an mbord.

'Ach conas a dhéanann tú do chuid oibre má bhíonn tú ag freastal ar chustaiméirí?'

'Ní thagann mórán ag an am seo den bhliain,' a dúirt Patsy. 'I rith an tsamhraidh, bíonn cailín agam chun freastal orthu siúd a thagann isteach.'

Bhí formhór na bpotaí mór agus drámata – Ali Baba a chuir siad i gcuimhne do Shaoirse, iad ina seasamh timpeall an tseomra ar nós saighdiúirí ag faire uirthi.

'Ce chomh fada agus atá tú anseo?' arsa Saoirse.

'Le dhá bhliain,' arsa Patsy. 'Bhí mé i Sasana roimhe sin, agus roimhe sin san India ar feadh tréimhse. Tháinig mé anseo ar saoire agus thit mé i ngrá leis an áit. Bhí a fhios agam go mbeadh orm cur fúm anseo. Ní raibh aon áit eile a shásódh mé tar éis dom an ceantar seo a fheiceáil.'

Labhair sí mar a dhein daoine ar cláir theilifíse faoi chúrsaí polaitíochta, ag leagan béim láidir ar focail áirithe. 'Thit mé i *ngrá* ... bhí a fhios agam go *mbeadh* orm cur fúm *anseo!*' Duine a bhí lán féinmhuiníne, a cheap Saoirse.

'Corcaíoch is ea mé,' arsa Patsy, agus cuma uaigneach uirthi.

'An ea?' arsa Saoirse. 'Bhfuil do mhuintir fós ansin?'

'Níl,' arsa Patsy. 'Níl ceangal ar bith agam leis an áit anois. Táim sa bhaile anseo, i gCorca Dhuibhne. Níl baile ar bith eile agam. Céard fút féin?'

Thosaigh Saoirse ag insint a scéil féin. D'fhág sí codanna áirithe de ar lár, ar ndóigh. Níor luaigh sí Marcas ach leag béim ar Bhean Uí Chonchubhair, agus ar an mbrú ar an DART maidin is tráthnóna.

Agus í i lár an scéil, bhuail teileafón sa seomra. Teileafón póca a bhí ann. D'fhreagair Patsy é. Ach de réir dealraimh bhí an uimhir mhícheart ag duine éigin.

'So, bheartaigh mé teacht anseo, chun seans a thabhairt dom féin a fháil amach an fiú dom a bheith ag péintéireacht nó nach fiú.'

'Cad tá i gceist agat, an fiú?' arsa Patsy, ag stánadh uirthi.

'Tá a fhios agat cad tá i gceist agam. An bhfuil maith ar bith ionam? An mbeidh éinne ag iarraidh tacaíocht a thabhairt dom?'

'An bhfuil tú ag iarraidh tacaíocht a thabhairt duit féin?'

Bhí cuma dháiríre ar Phatsy anois. Nó cuma chrosta. Chuir sí múinteoir scoile i gcuimhne do Shaoirse.

'Bhuel,' a dúirt Saoirse agus í ag éirí míchompordach. 'Bhuel. Táim ag tabhairt tacaíochta dom féin i láthair na huaire. Táim anseo!'

'Ní leor sin,' arsa Patsy. 'Ní leor sin. Caithfidh tú creideamh a bheith agat. Caithfidh tú creideamh ionat féin. Mura ndéanann tú sin, cén fáth a gcreidfeadh éinne eile ionat?'

Bhuail an teileafón arís. D'fhreagair sí é. 'Hello! Hello!' Ach arís eile ní raibh éinne ann.

'Cad a bhí á rá agam?' arsa Patsy. 'Ó, sea ... Ar mhaith leat breathnú ar an gceardlann anois?'

Ní raibh a cupán caife ólta ag Saoirse, ach níor luaigh sí sin. Chuaigh sí chun breathnú ar an gceardlann.

D'fhág Saoirse slán ag Patsy ina dhiaidh sin, agus gheall di go dtiocfadh sí ar ais i gceann seachtaine le pictiúir a d'fhéadfaidís a chur suas ar an idirlíon. Ní raibh sí cinnte cad as a dtiocfadh na pictiúir, nó conas a bheidís aici i gceann seachtaine, ach bhí eagla uirthi diúltú do Phatsy.

Ar bhealach, bhí Patsy cosúil le Mollaí. Shíl Saoirse, agus í ag teacht anseo, go mbeadh sí ag éalú ó leithéidí Mhollaí, ó ríomhairí, ón idirlíon, ó fhórsaí an mhargaidh, nuair a shroichfeadh sí Dún Dearg, nuair a bheadh seoladh fada fileata tuaithe aici, seoladh nach mbeadh truaillithe ag teicneolaíocht na n-uimhreacha. In áit Pink and Black, 37 Barra an Teampaill, Baile Átha Cliath 2, bhí mar sheoladh aici Baile an Mhinistir, Dún Dearg, An Daingean, Trá Lí, Co. Chiarraí. Agus cé nach raibh uimhir ar bith ina seoladh, cé nach raibh ann ach sruth fada focal, ní shroichfeadh litir í mura mbeadh a fhios ag fear an phoist cérbh í féin. Bhí níos mó cosúlachtaí idir Dún Dearg agus Barra an Teampaill ná mar a cheapfá, ná mar a lig Bord Fáilte orthu.

Lá maith a bhí ann an lá dár gcionn. Bhí solas cneasta bán an earraigh sa ghleann, agus cuma úr, álainn, ghlan ar na páirceanna. Dath dúghorm a bhí ar an bhfarraige, agus capaillíní bána ag rásaíocht isteach go dtí bun na haille.

Bhí an radharc ón teach go haoibhinn – an sruthán ag damhsa faoin ngréin, lusanna an chromchinn go flúirseach sa tsráid, agus toir na fiúise clúdaithe mar a bheadh caille thréshoilseach uaine caite orthu. Loinnir san aer, loinnir éadrom aerach a cheangail an t-aer, an fharraige agus an fásra le chéile. Mhothaigh Saoirse an loinnir ina croí féin, mar a bheadh diamaintí ar lasadh istigh inti. Bhí sí thar a bheith sona. Agus ba chuma sa diabhal léi faoin gcarbhán, faoin triúr abhac Gaelach, faoi rud ar bith ach faoin saol iontach a bhí ann, faoi áilleacht na tíre agus faoin mbeatha.

Chuaigh sí ag spaisteoireacht, a ceamara agus a sceitsleabhar sna pócaí aici. Ghlac sí grianghraif de bhláthanna – crobh éin, leamhach buí – agus den fharraige sa chuan, áit a raibh naomhóga crochta ar bhalla an ché, agus scata mór saidhbhéar ag cur fúthu sna haillte. Bhí na carraigeacha bán lena gcuid caca. Ghlac sí grianghraf de na carraigeacha bána. Thug sí faoi deara go raibh paiste íle ag snámh i mbarr na farraige agus dathanna an bhogha báistí air. Ghlac sí grianghraf den phaiste íle freisin, agus de na locháin dhubha íle a bhí anseo is ansiúd ar an gcé. Rith sé léi go ndéanfadh na híomhánna sin pictiúir spéisiúla.

Shiúil sí ón gcuan tríd an ngleann, thart ar an teach tábhairne. Chonaic sí Seán ag tiomáint tarracóra. Bheannaigh sé di gan an tarracóir a stopadh agus fágadh Saoirse ag stánadh air, ag *chugáil* síos an bóthar.

Tar éis dó sin tarlú, bhí fonn ar Shaoirse dul abhaile, chun smaoineamh ar an mbrí a bhí leis an eachtra. An amhlaidh go raibh náire ar Sheán faoin rud a tharla an oíche faoi dheireadh agus nach mbeadh fonn air labhairt léi riamh arís? Nó an amhlaidh gur thuig sé go raibh sé rócheanúil uirthi, agus go mbeadh sé dainséarach dó labhairt léi, nach mbeadh ar a chumas srian a choimeád ar a chuid mothúchán, fiú ar an bpríomhbhóthar ó Dhún Dearg go Baile an Rabbitéaraigh, eisean ina shuí in airde ar tharracóir agus ise ina seasamh ar an mbóthar? Nó an amhlaidh go raibh sé gnóthach, ag brostú i ndiaidh caorach nó bó nó i mbun gnó éigin talmhaíochta eile? Nó an amhlaidh go raibh dearmad déanta aige ar an rud a tharla?

Bhí a lán 'b'fhéidir' ann.

Bheartaigh sí, mar sin féin, gan ligean don eachtra bheag seo cur isteach ar an obair a bhí leagtha amach aici don lá. Lean sí léi ag siúl agus ag breathnú ar rudaí, ag súil le hinspioráid.

Níorbh fhada gur cuireadh isteach ar an bpróiseas ealaíne arís. Agus í ag dreapadh thar chlaí ar thóir sabhaircíní, cé a tháinig ina treo ach an triúr abhac, iad ag siúl ar thaobh an tsléibhe, toitín ina bhéal ag gach fear orthu, caipín cniotáilte ar a gceann. Bhí mála uirlisí á iompar ag Danny ach ní raibh faic ag an mbeirt eile. Bheannaigh sí dóibh agus bheannaigh siad di. 'Lá breá!' a dúirt siad, d'aon ghuth. 'Tá sé go diail,' arsa Saoirse – bhí sí tar éis a fhoghlaim gurbh é sin an nath áitiúil, agus nár cheart a rá go raibh aon rud 'go hálainn'.

'Go diail!' arsa Paddy, ag déanamh aithrise uirthi agus ag leamhgháire.

'Tá sibh gnóthach, feicim, mar a bhíonn i gcónaí!' arsa Saoirse ansin. Níor thug siad freagra ar bith air sin ach ar aghaidh leo. Chuala sí ag gáire eatarthu féin iad agus í ag dul sa treo eile.

Chuaigh sí suas bóthar a raibh cáil mhór air toisc gur úsáideadh é mar sheit i scannán uair amháin fadó. Níor chuimhin le héinne beo cathain, agus ní raibh an scannán feicthe ag éinne le tríocha bliain, ach mhair cáil na háite mar sin féin. Baisteadh cait agus madraí as na carachtair a bhí ann nó as aisteoirí a ghlac páirt ann. Bhí an t-ainm Mitchum an-choitianta i measc na madraí feirme, agus tugadh Rosie Ryan ar fhormhór na mba sa cheantar.

Bhí an bóthar ag bun cnoic ar a dtugtar Carraig an Mhionnáin. Lean sí léi go dtí gur shroich sí an sliabh féin. Áit dheas fhiáin ba ea é, taobh sléibhe clúdaithe le haiteann agus fraoch. Caoirigh ar féarach ann, iad ag … cad a dhéanann siad? Ag méileach. An fhuaim uaigneach leath-osnádúrtha sin a dhéanann siad. Mhothaigh sí uaigneach, tamall, ansin. Seán. Agus Marcas. Marcas. Marcas. Ní raibh a cuimhne ag cur isteach uirthi mar a dhein ar dtús. Ach ar an lámh eile de, bhí sí anois ag tuiscint go raibh rud éigin luachmhar caillte aici – agus ag an mbeirt acu. Bhí siad go mór i ngrá, lá den tsaol, agus bhí cairdeas daingean láidir eatarthu freisin. Bhí an domhan lán d'fhir, a deirtí, ach bhí sí ag tuiscint nach mbeadh sé chomh furasta titim i ngrá arís, agus nach mbeadh sé furasta ach an oiread gaol den saghas a bhí idir í féin agus Marcas a athchruthú le duine éigin eile. Leis na habhaic, mar shampla. Nó Mossy Fitz. Bheadh sé furasta titim i ngrá le leithéidí Sheáin, ach bhí sé sin pósta cheana féin, agus pósta le Méiní, an cara is fearr a bhí aici i nDún Dearg. Nach casta an mac an saol?

Agus na smaointe seo ag raimleáil trína haigne, tháinig Saoirse ar rud a chuir sceitimíní ar a croí. Carn mór gránna dramhaíola. Bhí sé suite ar thaobh an tsléibhe i measc an fhraoigh agus an aitinn. Seanghluaisteáin, troscán, seanfhuinneoga as teach éigin caite anuas air. Salachar. Mar chúlra, an fharraige dhúghorm, an spéir gheal, na hoileáin ag snámh i mbarr an uisce mar a bheadh míolta móra ann.

Thuig sí láithreach gur seo an inspioráid a bhí uaithi. D'fhéadfadh sí an carn dramhaíola seo a phéinteáil arís agus arís eile, ó thaobh na láimhe deise agus ó thaobh na láimhe clé, ón deisceart agus ón tuaisceart, ó bhun agus ó bharr, lasmuigh agus laistigh. Dhéanfadh sé sraith iontach pictiúr. Bheadh sí in ann taispeántas a bheith aici sa Daingean, i mBarra an Teampaill, i Londain. Shamhlaigh sí í féin ag eitilt go dtí an Veinéis, go dtí an *Bienniel*, í gléasta go simplí i rud éigin dubh, a taispeántas crochta cheana féin i bpálás marmair ar bhruach canála éigin. Shamhlaigh sí í féin ag tuirlingt de *gondola*, nó b'fhéidir de bhád mótair, ag caint le hiriseoirí:

'My exhibition, *A Blasket of Old Rubbish*, was inspired by a motor graveyard I came across in Kerry two years ago. What a contrast, I felt, between the ancient natural beauty of the surroundings and this dump. But when I examined the dump in detail I was seduced by its own inherent beauty. The dump was a map of human existence, set here in an eternal landscape. I saw in it a wonderful metaphor for the human condition. And it was so textured, it was so real, it was so smelly and messy and thingy!'

Ghlac sí leathchéad grianghraf den charn dramhaíola, agus ansin, sásta go raibh dóthain aici chun a *career* a lainseáil, d'fhill sí ar an mbaile.

Bhuail sí leis na habhaic ar an mbóthar arís.

Thug sí faoi deara nach raibh a mhála uirlisí ag Danny a thuilleadh. Ach bhí beart beag ag gobadh amach as póca Phaddy.

'Well timed!' a dúirt sí i mBéarla leo.

Níor dhúirt siad faic, ach dhein siad gáire ard drochmhúinte. Chuala sí iad ag magadh agus iad ag imeacht leo, ar ais go dtí an áit ab ansa leo, an teach tábhairne.

10

Níor tháinig feabhas ar bith ar an gcóras uisce. Tar éis seachtaine, bhí an t-uisce sa bhairille a thug Seán do Shaoirse ag éirí gann. Chuir sí glaoch ar an teach tábhairne, agus labhair sí le Méiní.

'Ó, a thiarcais!' arsa Méiní. 'Déarfaidh mé le fear an tí go bhfuil tú i gcruachás. Rachaidh sé i gcabhair ort, ná bíodh eagla ort.'

Tar éis leathuaire buaileadh cnag ar an doras. Ní Seán a bhí ann, ach Méiní.

'Níl sé ar fónamh,' arsa Méiní.

Cheap Saoirse go raibh sé ait nach raibh a fhios seo ag Méiní leathuair an chloig roimhe. Cad a bhí ar siúl anois?

'Cad tá cearr leis?' a d'fhiafraigh sí.

'Nílim cinnte, chun na fírinne a rá,' arsa Méiní. 'Tagann an galar dubh air anois is arís. Ach b'fhéidir nach bhfuil ann ach fliú.'

'Right!' arsa Saoirse. 'Tá súil agam go mbeidh biseach air sara i bhfad.'

'Bí cinnte go mbeidh,' arsa Méiní. 'Ach an fhadhb atá againn anois ná nach bhfuil ar mo chumas an bairille a iompar. Bean mhór bheathaithe is ea mé, ach nílim láidir go leor chuige sin!'

'Ó!' arsa Saoirse. 'Ná bac.'

'Tiocfaidh Paddy agus Danny and Micí timpeall chugat uair éigin inniu. Ní raibh mé in ann teacht orthu anois ach beidh siad istigh tráthnóna. An mbeidh tú ceart go leor go dtí sin?'

'Beidh,' arsa Saoirse. 'Tá sé i gceist agam dul go dtí an Daingean pé scéal é. Caithfidh mé bualadh isteach chuig Gráinne, an bhean sin sa ghailearaí.'

'All right, a chroí,' arsa Méiní.

'An mbeidh cupán caife agat nó rud ar bith?' arsa Saoirse. 'Is fada ó bhí comhrá maith againn.'

'Táim faoi bhrú, go raibh maith agat, a chroí,' arsa Méiní. 'Caithfidh mé fear a fháil chun obair na feirme a dhéanamh a fhad is a bheidh Seán sínte. Ach buail isteach sa phub tráthnóna agus beidh deis chainte againn ansin.'

'Déanfaidh,' arsa Saoirse. 'Táim tar éis a bheith an-ghnóthach mé féin, sin an fáth nár bhuail mé isteach chugat le tamaill. Tá a lán pictiúr á dhéanamh agam.' Tharraing sí aird Mhéiní ar na canbháis, a bhí ina seasamh timpeall na cistine.

'Maith an cailín!' arsa Méiní. 'Cuireann sé sin i gcuimhne dom go bhfuair mé teachtaireacht ó Philib, ag rá go raibh eochair an charbháin i dtarraiceán éigin anseo ... fan go gcuimhneoidh mé air anois ... sa tarraiceán beag sa seomra codlata.'

'Ó!' arsa Saoirse. 'Tá a fhios agam cén ceann atá i gceist.'

'Beidh tú in ann d'fhiosracht a shásamh anois!' arsa Méiní.

Leis sin, d'imigh sí léi.

Chuaigh Saoirse in airde go dtí an lochta agus d'aimsigh an eochair gan deacracht ar bith. Bhí sí ina luí sa tarraiceán, faoi bheart de chlúdaigh litreach, gan a bheith i bhfolach in aon chor. B'ait léi nár thug sí faoi deara cheana í, bhí sé chomh furasta teacht uirthi.

Amach léi go dtí an carbhán.

Ach nuair a chuir sí an eochair sa ghlas, ní thiocfadh léi í a chasadh. Dhein sí í a bhrú, dhein sí í a tharraingt amach agus a chur isteach leathshlí sa ghlas, dhein sí í a chur isteach bunoscionn. Na rudaí go léir a mbaineann duine triail astu nuair nach n-oibríonn eochair, bhain sí triail astu. Ach ní oibríonn na seifteanna sin de ghnáth, agus níor oibrigh siad an uair seo ach an oiread. Bíonn eochracha ceart nó mícheart. Bhí an ceann seo mícheart.

'Damnú!' arsa Saoirse. 'Cleas éigin eile ag Pilib File!'

Chuaigh sí ar ais sa teach agus fearg uirthi. Bhí sí ar tí glaoch a chur ar Mhéiní, ach ar cúis éigin níor dhein sí sin. Bhí an fón ina lámh aici ach dúirt guth beag éigin léi gan dul i dteagmháil léi, díreach anois, ach fanacht go bhfeicfeadh sí cad a tharlódh.

Chrom sí ar an bplean a bhí aici don lá sarar bhuail Méiní isteach. Bhailigh sí na pictiúir a bhí déanta aici, chuir sa ghluaisteán iad, agus thiomáin go dtí an Daingean.

Chaith Gráinne tamaillín ag féachaint ar na pictiúir — ceann acu a léirigh radharc drámata tíre, ceann de na bláthanna sa chlaí lasmuigh de theach Philib agus an tríú ceann, cur síos grafach ar pháirc ina raibh teach á thógáil agus páirc ina aice leis sin ina raibh an fógra a bhí le feiceáil go forleathan ar fud na leithinse: 'Site for Sale'.

Tar éis di na trí chanbhás a scrúdú, dúirt Gráinne go dtógfadh sí dhá cheann acu, ach nach mbeadh margadh aici don treas ceann, 'Site for Sale'. Dhéanfadh sí frámaí a chur ar an dá cheann eile agus iad a thaispeáint láithreach. Dá mbeadh díol orthu, thógfadh sí coimisiún 20%, agus bheadh sí toilteanach ansin pictiúir eile den *genre* céanna a ghlacadh.

'Tá siad thar a bheith go maith,' a dúirt sí le Saoirse. 'Agus, ar ndóigh, sin an saothar is fearr, "Site for Sale". 'Ach is dócha go dtuigeann tú nach bhfuil sé oiriúnach do na custaiméirí a bhíonn againn. Bíonn daoine ar laethanta saoire nuair a thagann siad anseo. Níl spéis acu ach sa rud atá dearfa, aoibhinn, rómánsach.'

'Tuigim,' arsa Saoirse. 'Cad faoi mhuintir na háite?'

'Mar an gcéanna,' arsa Gráinne. 'Caithfidh siadsan an dearcadh sin a dhíol leis na turasóirí. Mura gcreideann siad ann ní bheidh siad in ann é a dhíol.'

'Tá a fhios agam,' a d'aontaigh Saoirse. 'Tuigim.'

'Is dócha go mbeadh margadh don saghas sin ruda i mBarra an Teampaill nó a leithéid!' arsa Gráinne, ag magadh. 'Bhfuil aon taithí agat ar na háiteanna sin?'

'Sórt,' arsa Saoirse.

'Nó fiú amháin Cill Airne, b'fhéidir,' arsa Gráinne go smaointeach. 'Ach ní féidir liom ealaín mar sin a dhíol anseo. An fharraige, na sléibhte, na hoileáin. San ord sin. Sin a gceannaíonn daoine anseo.'

Chuir Saoirse 'Site for Sale' ar ais i mbút an Toyota agus thosaigh ag tiomáint abhaile.

Agus í ag dul trasna an chnoic idir an Daingean agus Dún Dearg, bhí uirthi tiomáint thart ar theach Phatsy. Bhí sí in ann an bothán beag a fheiceáil i bhfad uaithi agus í ag tiomáint, agus chonaic sí go raibh gluaisteán Phatsy páirceáilte lasmuigh. Stop sí ag an teach nuair a bhain sí amach é.

Bhí an doras ar leathadh agus isteach léi. Ní raibh Patsy sa chistin, ach bhí an raidió ar siúl. The Arts' Show – bhí sé ceathrú tar éis a trí. Bhí Mike Murphy ag cur agallaimh ar fhear éigin faoi dhráma a bhí ar siúl i mBaile Átha Cliath.

'Overall I thought it was a very fine production,' arsa an fear. 'Some of the acting was a tiny bit shaky but some of it was brilliant, to compensate for that, as it were.'

'Olwen Fouere was absolutely wonderful, wasn't she? A truly outstanding performance!' arsa Mike Murphy.

Bhí fonn ar Shaoirse an raidió a mhúchadh. Thaitníodh The Arts' Show léi nuair a bhíodh sí ina cónaí i mBaile Átha Cliath, ach anseo chuir sé saghas masmais uirthi, mar a dhein a lán de na cláir ar an raidió agus ar an teilifís. I mBaile Átha Cliath, bhí tábhacht ag baint leis na cúrsaí sin, le drámaí agus leis na rudaí a bhí le rá ag daoine ina dtaobh, le cúrsaí polaitíochta, leis seo agus leis siúd. Ach anseo, ní raibh aon bhrí leo anseo, dar léi. Ní raibh tábhacht ar bith ag baint leo. Bhí siad cosúil leis na héadaí áiféiseacha faiseanta a chaith daoine ar Shráid Grafton. Níor oir siad don áit seo.

Ba iad sin na smaointe a bhí ag gabháil trína ceann agus í ag dul isteach sa cheardlann.

Bhí Patsy ina suí ag an roth potaireachta, a lámh ar
phota mór a bhí leathchasta aici. Bhí sí gléasta ina geansaí
dubh agus bhí scaif oráiste timpeall ar a muineál aici.
Ach bhí rud éigin aisteach ag baint léi.
'Hi, Patsy' arsa Saoirse. 'Bhí mé ag tiomáint thar
bráid agus bhuail mé isteach.'
Is ansin a thuig Saoirse cad a bhí aisteach. Ní raibh
an roth ag bogadh.
'Patsy!' arsa Saoirse. 'Patsy?'
Níor dhúirt Patsy faic.
D'fhan sí ina suí ag an mbinse, ar an gcathaoir ard a
bhí aici, ag stánadh ar an bpota.
'Patsy!' arsa Saoirse uair amháin eile, ag druidim níos
cóngaraí di.
Leag sí lámh ar ghualainn Phatsy. Níor dhúirt Patsy
faic.

'Cad a tharla?'
Bhí Saoirse ina suí i gcathaoir uilleann i gcistin
Phatsy. Bhí garda óg ag caint léi. Bhí gloine branda aici,
a bhrúigh an seangharda uirthi. Bhí seisean sa seomra
eile le dochtúir. Níor ól sí ach braon beag. Chuir branda
mídhíleá uirthi i gcónaí.
"Bhuail mé isteach,' arsa Saoirse, 'bhí an doras
oscailte agus bhí an raidió ar siúl ach ní raibh éinne
anseo. Cheap mé go mbeadh sí ag obair sa cheardlann.
D'oscail mé an doras agus ... bhí sí ina suí ag an
mbinse, os comhair an rotha ...'
Bhreathnaigh an garda go cúramach uirthi.
'Ceangailte sa chathaoir!'

'Sea!' arsa Saoirse. 'Cé a dhéanfadh a leithéid?'

'Déanann siad gach diabhal ruda,' arsa an garda. 'Níl aon dealramh leis an rudaí a dhéanann siad.'

'Conas, an gceapann tú, a maraíodh í?'

'Lámhachadh í.'

Rith sé le Saoirse nár thug sí fuil faoi deara. Ach níor bhac sí é a cheistiú faoi sin. Bhí sí róthuirseach.

'Níl an paiteolaí tagtha fós chun scrúdú a dhéanamh uirthi,' a dúirt an garda.

'Tá sí fós ansin?'

'Tá.' Sheas sé agus chuir air a chaipín. 'Ní féidir í a bhogadh go dtí go ndéanann an paiteolaí scrúdú uirthi. Ach ní thiocfaidh sé go ceann i bhfad. Tá sé chomh maith duitse dul abhaile anois.'

'Tá mo charr lasmuigh,' arsa Saoirse.

'Rachaidh mé leat,' arsa an garda. 'Tabhair dom eochracha an ghluaisteáin agus tabharfaidh mé chugat ar ball é, nuair a bheidh an sáirsint ag dul ar ais go dtí an stáisiún. Ní ceart duit tiomáint anois.'

Dhein Saoirse mar a dúradh léi. Bhí an ceart aige. Ní raibh fonn uirthi tiomáint.

Thiomáin siad abhaile i gcarr an gharda, agus an oíche ag titim.

'Bhfuil ... an raibh aithne mhaith agat ar Phatsy?' a d'fhiafraigh sé di, agus iad ag taisteal.

'Ní raibh,' arsa Saoirse. 'Bhuail mé léi seachtain nó coicís ó shin. Bhí sí chun cabhrú liom suíomh a chur ar an idirlíon, chun pictiúir a dhíol.'

'Bhí eolas maith aici ar chúrsaí ríomhaireachta?' arsa an garda.

'Bhí sí in ann suíomh a dhearadh pé scéal é. Agus dhein sí obair do chomhlacht éigin, a dúirt sí liom. Bhí níos mó ná ceird amháin ar bun aici.'

'Conas a bhuail tú léi?' a d'fhiafraigh an garda di ansin.

D'inis sí dó, agus luaigh Jason is Jessica.

'Right!' ar seisean. 'Beidh orm iadsan a cheistiú.'

'Seo mo theach,' arsa Saoirse, 'an teach atá ar cíos agam.'

Lig an garda feadaíl as.

'Seo an áit ina gcónaíonn Pilib File, nach ea?'

'Sea. Tá sé i Meiriceá faoi láthair. Tá an teach ar cíos agam go dtí deireadh mhí na Bealtaine.'

'Tuigim,' arsa an garda. Stop sé an carr lasmuigh den doras. 'An mbeidh tú ceart go leor?'

'Beidh,' arsa Saoirse.

'Seo mo chárta. Cuir glaoch orm má bhíonn aon rud uait. Agus tabharfaidh mé do charr féin ar ais chugat i gceann uair an chloig nó mar sin.'

D'imigh sé leis. Bhreathnaigh Saoirse ar an gcárta. Máirtín Ó Flaithearta, Baile na hAbhann, an Daingean.

Chuir sí an tine leictreach ar siúl. Mhothaigh sí fuar. Thosaigh na cait ag caoineadh agus thug sí bia dóibh. Shuigh sí síos gan an solas a lasadh, agus smaoinigh ar cad a bhí tar éis tarlú.

Bhí Patsy marbh. B'in an príomhrud. Ní raibh aon ghrá speisialta aici do Phatsy. I ndáiríre, níor thaitin sí léi, mórán; bhí sí ró-údarásach, agus cé gur bhrúigh sí a cuideachta ar dhaoine bhí sí fuar mar dhuine, ar bhealach éigin. Mar sin féin, chuir a bás brón agus dólás ar Shaoirse. Bhí sé chomh dian, chomh huafásach sin.

Bean óg spreagúil ba ea Patsy. Bhí saol fada roimpi, saol lán suas le tionscadail de shaghsanna éagsúla. Bhí a lán potaí fós le déanamh aici. Agus suímh le cur ar an idirlíon. Ach anois bhí an saol sin curtha ar ceal, ag duine éigin a bhí as a mheabhair, b'fhéidir.

Chuimhnigh sí ar Phatsy, ina suí sa chathaoir, í ceangailte sa chathaoir. Cén saghas dúnmharfóra a dhéanfadh í a cheangal mar sin, ionas go mbeadh an chuma uirthi go raibh sí beo? Cén fáth a ndéanfadh éinne a leithéid? Níorbh aon gnáth-dhúnmharfóir a dhein an beart ach duine a raibh nimh ina intinn aige, gealt éigin a bhain sásamh as cleasa a imirt ar dhaoine. Duine dainséarach. Agus bhí sé amuigh ansin. Bhí sé fós ag tiomáint timpeall áit éigin. Cá bhfios nach maródh sé duine éigin eile?

Bhreathnaigh Saoirse ar an doras agus ansin chuaigh anonn chun a dhéanamh cinnte de go raibh sé faoi ghlas.

Agus í i bhfoisceacht slaite den doras, thosaigh an doras ag oscailt.

Scread Saoirse le tréan eagla. Dhún sí a cuid súl agus scread sí.

'Anois, anois, anois, a chailín! In ainm Dé!' Thug Méiní barróg mhór di agus dhein í a thionlacan go dtí an chathaoir uilleann.

'Ó, Saoirse bhocht! Bhí sé de cheart againn cnagadh ar dtús!' a dúirt Jessica.

Shuigh Saoirse in aice leis an tine leictreach, ag breathnú orthu.

'Tá tú bán san aghaidh mar a bheadh taibhse,' arsa Méiní. 'Doirt braon branda di, Jessica. Jason, las an tine sin. An cailín bocht!'

'Tá brón orm,' arsa Saoirse. Bhí mearbhall uirthi. Go tobann bhí an teach lán le daoine. Jessica, Jason, Méiní. Bhí na cait ag rith timpeall ag screadaíl.

'Chuala sibh?' a d'fhiafraigh sí. Is ar éigean a bhí sí in ann caint.

'Chualamar,' arsa Méiní. 'Here, ól seo, déanfaidh sé maitheas duit,' a dúirt sí, ag tabhairt gloine branda di. Shlog Saoirse siar an deoch. Mhothaigh sí an leacht te ag dul tríthi. Ghortaigh sé a goile. Ach chuir sé neart inti mar sin féin.

Stop a ceann ag luascadh. Chonaic sí an tine ag lasadh anois. Bhí Jessica ina suí, agus Jason ina sheasamh cois tine. Bhí Méiní ina suí ar a gogaide in aice léi.

'Níos fearr?' arsa Méiní.

'Tá,' arsa Saoirse.

'Shíleamar go mbeifeá ag iarraidh cuideachta,' arsa Jessica. 'Caithfidh gur bhain ar tharla preab uafásach asat.'

'Bhain,' arsa Saoirse. 'Níor airigh mé é go dtí anois i ndáiríre. Ghlac mé le rudaí mar a tharla siad go dtí gur tháinig sibh. Bhí eagla orm …'

'Gan amhras,' arsa Méiní. 'Beidh eagla orainn go léir go dtí go bhfaighe siad pé duine a dhein é. Smaoinigh ar a leithéid a bheith ag siúl timpeall ag lorg cailín éigin eile!'

Níor dhúirt Saoirse faic. Bhí Jason agus Jessica ag stánadh uirthi, á scrúdú, uafás ina n-aghaidh. Ach bhí siad ag feitheamh freisin, ag feitheamh go n-inseodh sí a scéal. Ní raibh fonn cainte uirthi. Bhí fonn uirthi dul a chodladh, b'in an méid. Ach seans go bhfanfaidís go dtí go n-inseodh sí gach a raibh ar eolas aici.

'Bhuail mé isteach chuici ar mo bhealach ar ais ón Daingean,' a dúirt sí.

'Ná hinis dúinn anois,' arsa Jessica. 'Tá tú róthuirseach.'

'B'fhéidir go ndéanfaidh sé maitheas di an scéal a insint,' arsa Méiní. 'Tabhair braon eile branda di – agus tógaigí féin braon. Baineadh geit asainn go léir.'

Dhoirt Jason an branda. Ní raibh focal as an t-am ar fad. Ach a aghaidh chomh bán le braillín.

D'inis Saoirse a scéal.

'Uch!' arsa Jessica.

'Cén fáth a maródh éinne Patsy?' arsa Saoirse.

Labhair Jason den chéad uair.

'Ní toisc gur Phatsy í a maraíodh í,' a dúirt sé.

'Ach ...?' arsa Méiní.

'Toisc gur bhean í. Bean álainn.'

'Ceapann tú gur *serial killer* a dhein é? Gealt éigin a théann timpeall ag marú ban?'

'Sea,' arsa Jason. ' Pé duine a mharaigh an bhean sin i dTrá Lí mí ó shin. Bhí aithne agam ar Phatsy. Ní bheadh cúis ag éinne í a mharú. Bhí sí saghas ... saonta.'

'Saonta?' arsa Saoirse. B'in aidiacht nach samhlódh sí le Patsy.

'Bhí sí cliste, agus bhí a lán ar bun aici. Ach bhí sí oscailte, agus saonta, i mo thuairimse,' a d'fhreagair sé.

D'fhan siad ar feadh uair an chloig nó mar sin. Thug Méiní piollaire codlata do Shaoirse agus chuir iallach uirthi é a thógáil sarar imigh siad. Chomh luath agus a d'fhág siad chuir Saoirse an doras faoi ghlas agus chuaigh in airde staighre. Is ar éigean a bhí an fuinneamh inti dreapadh isteach sa leaba. Thit a codladh uirthi láithreach. D'airigh sí go raibh sí ag titim isteach in umar mór bán, ar nós scamaill. Bhí eagla uirthi agus dhein sí iarracht í féin a tharraingt amach as. Ach ní raibh neart aici air. Síos, síos léi, i scamaill an chodlata.

11

Dhúisigh sí go déanach an mhaidin i ndiaidh an dúnmharaithe. Nuair a mhúscail sí, bhí an seomra geal le solas na gréine. Bhí Sayers agus Criomhthan in airde ar an leaba, ag meabhlach agus ag impí uirthi éirí agus greim bia a thabhairt dóibh.

'All right, all right,' arsa Saoirse, ag breathnú ar a huaireadóir. Leathuair tar éis a deich. D'éirigh sí agus tharraing uirthi a fallaing sheomra. Chomh luath agus a chuir sí cos fúithi, bhuail tinneas cinn í. Smaoinigh sí ar na piollairí codlata, agus ar an gcúis a bhí leo.

'Oh, gosh!' ar sise. Chuaigh sí síos staighre agus d'oscail canna *Whiskas* do na cait. Chuir sí an citeal ar beiriú ansin agus shlog siar cúpla *aspirin* a fhad is a bhí sí ag feitheamh air.

Buaileadh cnag ar an doras.

'In ainm Dé,' a dúirt sí, ag iarraidh smacht a chur ar a cuid gruaige lena lámh. D'oscail sí an doras.

'Hi!' arsa Máirtín, an garda síochána. 'Tá brón orm cur isteach ort. Ach bhí mé sa cheantar agus eh, … bhuel, is féidir liom teacht uair éigin eile.'

'No, no, tar isteach,' arsa Saoirse. Dhein sí méanfach. 'Thóg mé piollaire codlata aréir. Táim fós zonkáilte.'

Dhein sé miongháire agus tháinig isteach sa chistin.

Bhí an tine fós lasta. Chuaigh Saoirse chun móin a chur air ach bhí Máirtín ann roimpi.

'Déanfaidh mise sin duit,' ar seisean.

'Right!' arsa Saoirse. 'An mbeidh caife agat? Táim díreach chun é a dhéanamh.'

'Bheadh sé sin go deas,' arsa Máirtín.

D'ullmhaigh sí an caife agus shuigh an bheirt acu síos ag bord na cistine.

'Tá tú ceart go leor?' arsa Máirtín. 'Ní gá dul go dtí an dochtúir nó aon ní mar sin?'

'No, no, táim ceart go leor,' arsa Saoirse. 'Tháinig saghas eagla orm aréir ach bhuail Méiní, ón bpub, agus Jessica agus Jason isteach agus bhí gach rud ceart go leor ina dhiaidh sin.'

'Go maith,' arsa Máirtín. D'ól sé braon caife agus ansin go tobann bhí cuma an ghnó air.

'Tá roinnt ceisteanna agam le cur ort,' a dúirt sé. 'Tá sé chomh maith agam iad a chur ort anois.'

'Aon am in aon chor,' arsa Saoirse, agus ionadh uirthi. An amhlaidh a cheap sé go raibh sise ciontach?

'Tháinig an paiteolaí go dtí teach Phatsy aréir. Lámhachadh í dhá lá ó shin de réir dealraimh. Cuireadh urchar trína ceann.'

'Gosh!' arsa Saoirse.

'Close range.'

'Nach mbeadh fuil le feiceáil?'

'Bhí fuil le feiceáil. Bhí an t-urlár clúdaithe léi. Ach toisc go raibh brat dearg aici ar an urlár níor thug tú faoi deara í. Agus an fhuil a bhí ar a corp, bhí sí glanta suas ag duine éigin – duine nár fhág rian ar bith de lorg na méar ná aon rud eile ach an oiread, faraor.'

'Right!' arsa Saoirse.

'Sin an méid atá ar eolas agam faoi láthair.'

Stad sé den chaint agus d'ól caife. Bhí tost sa seomra nóiméad.

'So … an amhlaidh gur *serial killer* a bhí ann?' a d'fhiafraigh sí de.

Níor dhúirt sé faic ar feadh soicind. Ansin chroith sé a cheann.

'Níl a fhios agam,' ar seisean, 'ach ní dóigh liom é. Níor cuireadh isteach ar Phatsy in aon slí ghnéasúil. Agus ní raibh an chosúlacht air go raibh troid ar bith ann.'

'Right!' arsa Saoirse. 'Bhuel, níl a fhios agam cad a chiallaíonn sé sin.'

Dhein sé gáire ach níor dhúirt faic ina thaobh.

'An fhadhb is mó atá agam faoi láthair ná nach bhfuil eolas ar bith agam faoi Phatsy. Patsy Nic Cárthaigh a bhí uirthi. Bhí cónaí uirthi i nDún Dearg. Potaire, a bhí ag dabláil i ríomhairí. Bhí suim aici i gcúrsaí na timpeallachta, sa Ghaeilge, sa Ghaeltacht. Bhí sí cairdiúil leatsa. Ach sin a bhfuil.'

'Ní raibh aithne mhaith agamsa uirthi ach an oiread,' arsa Saoirse. 'Mar a dúirt mé leat, níor bhuail mé léi ach uair nó dhó.'

'Cá háit ar bhuail tú léi?'

'I gCaisleán na bhFuipíní. An t-ionad leighis agus cultúir atá ag Jessica agus Jason, cóngarach do Bhaile an Rabbitéaraigh.'

'Jessica agus Jason. Cén sloinne atá orthu?'

'Níl a fhios agam!' a dúirt sí. 'Ní dóigh liom gur chuala mé a sloinne riamh. Ach bheadh an t-eolas sin ag Méiní, sa phub. Ise a chuir i dteagmháil leo mé ar dtús.'

'Yeah,' arsa Máirtín, ag glacadh nótaí. 'Caithfidh mé cuairt a thabhairt uirthi. An raibh aithne ag Méiní ar Phatsy, an bhfuil a fhios agat?'

'Is dócha go raibh,' arsa Saoirse, 'ce nár luaigh sí liom riamh í. Ach bhí brón uirthi go raibh sí marbh – tháinig sí anseo aréir le Jessica agus Jason, chun an rud a phlé liom. Chun branda a thabhairt dom agus mar sin de.'

'An tusa a thug le fios dóibh go raibh Patsy marbh?' arsa Máirtín.

'Ní mé,' arsa Saoirse. 'Is dócha gur chualadar sin ar an nuacht.'

'Níor luadh ar an nuacht go fóill é,' arsa Máirtín. 'Sin ceann de na fadhbanna atá agam. Ní féidir linn teacht ar ghaolta ar bith de chuid Phatsy. Níl a fhios againn fiú an bhfuil a leithéid ann.'

'Right!' arsa Saoirse. 'Níl a fhios agamsa ach an oiread. Ach déarfainn go mbeadh a fhios ag Jessica nó ag Jason. Tabharfaidh mé a n-uimhir ghutháin duit.'

Chríochnaigh sí a cupán caife agus fuair an uimhir dó.

'Go hiontach,' a dúirt sé. D'éirigh sé ina sheasamh.

'Tá sé in am dom imeacht,' a dúirt sé. 'Is mór an chabhair é seo. Má bhíonn aon eolas eile uaim, tiocfaidh mé ar ais chugat.'

'Am ar bith!' arsa Saoirse.

'Tá tú cinnte go bhfuil tú ceart go leor?'

Bhreathnaigh sé uirthi agus boige ina shúile.

'Yeah,' arsa Saoirse. 'Táim ceart go leor anois.'

'Slán, más ea!' a dúirt sé.

Shiúil sé go dtí an doras.

'Fan!' arsa Saoirse. 'Tá rud amháin eile ann.'

Chas sé.

'Cad é sin?' a dúirt sé.

'Ní cheapann … éinne … go bhféadfainnse a bheith ciontach?'

Stán sé uirthi agus é an-dáiríre.

'Mar a dúirt mé, ní féidir aon rud a rialú as an áireamh díreach anois,' ar sé. 'Ach ní *prime suspect* thú pé scéal é.'

'Toisc gur mise a chuir fios ar na gardaí?' arsa Saoirse.

'Toisc gur tusa a chur fios ar na gardaí,' a dúirt sé. 'Agus ar chúiseanna eile freisin.'

Ag am lóin, fuair Saoirse glaoch gutháin. A máthair a bhí ar an líne.

'Hi, a strainséir!' a dúirt sí. 'Bhfuil tú fós beo?'

'Tá, a Mham,' arsa Saoirse. Níorbh am iontach é ócáid ar bith ar ghlaoigh a máthair ach tháinig an glaoch seo ar cheann de na hócáidí ba mhí-oiriúnaí ar fad.

'Agus conas tá saol an ealaíontóra?'

'Go maith,' arsa Saoirse. 'Tá gach rud go breá anseo. Tá ag éirí go maith liom.'

'Maith an cailín,' arsa a máthair. 'Bhuel, ní choimeádfaidh mé ó do chuid oibre thú. Ach tá rud agam le hinsint duit.'

'Right. Cad é sin?' arsa Saoirse.

'Ghlaoigh Marcas Bitterman orm aréir. Bhí sé ag iarraidh a fháil amach cá raibh tú.'

'OK,' arsa Saoirse. 'Tá sé sin ceart go leor.'

'Ar ndóigh, níor thug mé aon sásamh dó,' a dúirt a máthair.

'What?' arsa Saoirse. 'Bhfuil tú ag rá nár thug tú m'uimhir ghutháin dó?'

'Ar ndóigh, ní dhéanfainn a leithéid!' arsa a máthair.

'Ó!' arsa Saoirse. Níor dhein sí iarracht ar bith an díomá a cheilt.

'Nár dhein mé an rud ceart?'

'Bhuel ...,' arsa Saoirse. Ach níorbh fhiú a bheith feargach anois. 'Ar ... cá raibh sé féin? Ar thug sé uimhir ghutháin duit?'

'Níor thug,' arsa a máthair. 'Ó, a Shaoirse, ... ar cheart dom ...?'

'Má ghlaonn sé arís, a Mham, tabhair m'uimhir dó. Right?'

'Ceart go leor, a chroí.'

'Slán, a Mham.'

'Fan, fan nóiméad!' arsa a máthair. 'Tá rud eile le rá agam, a stór.'

'Sea?' arsa Saoirse.

'Bhí mé ag smaoineamh ar cuairt a thabhairt ort mé féin uair éigin. Is fada ó bhí mé i nDún Dearg.'

Níor dhúirt Saoirse faic.

Lean a máthair léi.

'Is maith an deis é an áit a fheiceáil arís. Agus ba mhaith liom tusa a fheiceáil freisin, a Shaoirse. Táim imníoch i do thaobh.'

'Ní gá duit a bheith,' arsa Saoirse go tapa. Bhí fearg uirthi. Níor theastaigh uaithi go dtiocfadh a máthair ar cuairt chuici in aon chor. B'in an rud deireanach a bhí uaithi. Ach cén fáth? Nach raibh sé sin mínádúrtha?

'Ní raibh tú ar fónamh nuair a d'fhág tú Baile Átha Cliath. Agus anois tá tú i d'aonar ansin.'

'Táim ceart go leor.'

'An mbíonn tú ag ithe?' a d'fhiafraigh a máthair di ansin.

'Bím,' arsa Saoirse. 'Cathain atá sé i gceist agat teacht?'

'Bhuel, beidh deireadh seachtaine fada agam an tseachtain seo chugainn. Ní fiú an t-aistear a dhéanamh mura mbíonn cúpla lá agam.'

'Oh, no, ní fiú, arsa Saoirse.

'Beidh sé sin go hiontach,' arsa Saoirse. 'Dé hAoine seo chugainn más ea?'

'Bhí mé ag smaoineamh ar an Déardaoin. Agus fanfaidh mé go dtí an Luan.'

'Céard faoin Domhnach?' arsa Saoirse.

'Cad é sin?' arsa a máthair. 'Ní chloisim thú. Tá an líne go dona.'

'All right,' arsa Saoirse. 'Cífidh mé thú Déardaoin seo chugainn. Slán anois.'

Dhein Saoirse roinnt péintéireachta tar éis an lóin. Bheartaigh sí cúpla pictiúr eile a ullmhú do Ghráinne. Dá mbeadh ceithre cinn aici sa ghailearaí, mhothódh sí go raibh ag éirí go maith léi. Dhíolfadh Gráinne iad aimsir na Cásca agus ansin bheadh spás aici do roinnt eile.

Thosaigh sí ar phictiúr de na hoileáin. Ach ní raibh mórán oibre déanta aici nuair a tháinig cuairteoir.

'An Cigire Seán Ó Muircheartaigh,' a dúirt fear ard meánaosta. Aghaidh thanaí chnámhach air, é gléasta i seaicéad bréidín agus caipín air.

'Hello,' arsa Saoirse.

'Tusa Saoirse Ní Ghallchóir?'

'Is mé.'

'Tá roinnt ceisteanna agam le cur ort,' ar seisean.

'Tar isteach,' arsa Saoirse.

Tháinig sé isteach agus shuigh síos.

'Tusa a tháinig ar chorp Phatricia McCarthy inné?'

'Is mé,' arsa Saoirse.

'An bhféadfá insint dom go díreach cad a tharla?'

D'inis Saoirse an scéal dó.

'Ar thug tú aon rud faoi deara agus tú ag teacht isteach sa teach?'

'Chuir sé saghas ionadh orm go raibh an doras ar oscailt,' arsa Saoirse. 'Cé go mbíodh sé ar oscailt uaireanta, is dócha. Ach … bhí an raidió ar siúl, thug mé sin faoi deara freisin.'

'Sin an méid?'

'Bhí boladh éigin ann.'

'Drochbholadh?'

'Boladh gallúnaí nó cumhráin, ceapaim.'

'Right!' arsa an Cigire.

Chuir sé ceisteanna eile uirthi, faoina saol féin, cathain a tháinig sí go Dún Dearg, faoi Phatsy.

'Go raibh maith agat,' a dúirt sé ansin.

'Bhfuil aon tuairim agaibh cé a dhein é?' arsa Saoirse.

'Tá leideanna againn anois,' ar seisean. 'Táimid ag iarraidh breis eolais a fháil faoi Phatricia agus faoi na compánaigh a bhí aici sa cheantar. Ach ceapaim i ndáiríre gur *serial killer* a dhein an beart.'

'An gceapann?' arsa Saoirse, agus imní uirthi.

'Deineadh dúnmharú den saghas céanna i dTrá Lí mí ó shin. Agus cúpla mhí roimhe sin, maraíodh bean óg i gContae an Chláir. Sílim go bhfuil ceangal eatarthu.'

'Right,' arsa Saoirse. 'Cheap an Garda Ó Flaithearta go mb'fhéidir go raibh aithne ag Patsy ar an duine a mharaigh í.'

Tháinig athrú ar mheon an chigire.

'Bhfuil aithne agat ar an ngarda sin? Ó Flaithearta?'

'Eisean a tháinig go dtí an teach inné nuair a ghlaoigh mé ar an stáisiún.'

'Sea, sea,' arsa an Cigire. 'Ar ndóigh. Ach ní bheidh baint ar bith ag na gardaí sin leis an gcás seo anois. Baineann an cás le roinn na mbleachtairí. Mise atá i bhfeighil an cháis anois.'

'Tuigim,' arsa Saoirse.

Tar éis dó imeacht, chuaigh Saoirse go dtí an teach tábhairne. Bhí Méiní ansin, laistiar den chuntar.

'Hi!' a dúirt sí. 'Aon scéal?'

D'inis Saoirse di faoin méid a tharla – go raibh sí tar éis labhairt leis an gCigire agus gur cheap sé go mb'fhéidir go raibh ceangal idir dúnmharú Phatsy agus coireanna eile a tharla sa cheantar le gairid.

'Pshaw!' arsa Méiní. 'Ní chreidfinn sin in aon chor. Tá sé soiléir go raibh aithne ag Patsy ar pé duine a dhein í a mharú. Ní raibh aon troid ann.'

'Sin a cheap Máirtín, an garda sa Daingean,' arsa Saoirse. 'Ach de réir an Chigire ní chiallaíonn sin faic. Bhíodh strainséirí i gcónaí istigh ag Patsy – daoine ag ceannach potaí, nó custaiméirí a bhí aici don obair a dhein sí ar an idirlíon.'

'Bhuel, bhuel,' arsa Méiní. 'Beidh a fhios againn cad a tharla uair éigin, le cúnamh Dé. An raibh aon teagmháil agat le Jessica nó le Jason?'

'Ní raibh,' arsa Saoirse. 'Bhí mé gnóthach an lá ar fad. Daoine ag glaoch agus ag teacht chun mé a cheistiú.'

'Ghlaoigh Jessica ormsa,' arsa Méiní. D'ísligh sí a guth. Bhí Paddy díreach tar éis teacht isteach sa phub. 'Tá an-imní uirthi. Tá Jason ... tinn.'

'Tinn?'

'Le himní, a cheapann sí.'

'Right,' arsa Saoirse. Chuimhnigh sí ar an méid a thug sí faoi deara an tráthnóna úd i gCaisleán na bhFuipíní – go raibh rud éigin ar siúl idir Jason agus Patsy.

'Nílim chun a thuilleadh a rá,' arsa Méiní.

'No,' arsa Saoirse. 'No.' Cheap sí go raibh a dóthain ráite ag Méiní cheana féin, nó an iomarca, fiú.

'Bhí an garda sin, Máirtín Ó Flaithearta, timpeall ag ceistiú Jessica agus Jason ar maidin,' arsa Méiní, tuilleadh á rá aici. 'Chuir sé sin isteach air, is dócha. Dhera, bhí cairdeas láidir idir an triúr acu. Bhíodh sí sa chaisleán go minic, ag ithe leo nó ag ól agus ag cabhrú leis na cúrsaí agus mar sin de.'

'Yeah,' arsa Saoirse. Dhein sí gáire. 'Ní dóigh liom gur Jason a mharaigh í pé scéal é.'

Leag Méiní a lámh ar a béal. Bhí Paddy ag teacht ina dtreo.

'Lá breá,' a dúirt sé. 'Don dúnmharú!'

Níor cheap Saoirse go raibh sé seo róghreannmhar.

'Tá duine éigin ann nach mbeidh codladh na hoíche aige anocht,' arsa Paddy. 'An créatúr bocht. Bíonn trua agam do na daoine seo a thiteann amach leis an dlí. Timpiste a bhíonn ann, an chuid is mó den am. Timpiste.'

'Ní bheidh codladh na hoíche arís go deo ag Patsy McCarthy,' arsa Saoirse.

'An ceart agat, a chailín,' arsa Méiní. 'Dún do chlab, a Phaddy, tá an iomarca raiméise ar fad agatsa. Cad a bheidh agat?'

'Caife,' arsa Paddy. 'Agus Paddy, le do thoil, a bhean an tí.'

'Cladhaire!' arsa Méiní.

D'ullmhaigh sí an caife dó.

'A Mhéiní,' arsa Saoirse.

'Sea, a chroí?'

'Tá mo mháthair ag teacht ar cuairt ag an deireadh seachtaine. Ba mhaith liom í a chur sa charbhán. Ach ní oibríonn an eochair sin. An bhféadfá ceist a chur ar Philib arís faoi?'

'Déanfaidh agus fáilte,' arsa Méiní. 'An diabhal eochrach sin! Tá mí-ádh ag siúl léi.'

'Osclóidh mise an carbhán duit gan eochair ar bith, más mian leat,' arsa Paddy.

Bhreathnaigh Saoirse air agus sceoin ina meon.

'Bhuel, mura n-éiríonn liom leis an eochair an uair seo, cuirfidh mé glaoch ort.'

'Níl tú chun do mháthair a chuir i gcarbhán nach bhfuil faoi ghlas fiú?' arsa Méiní. 'Agus dúnmharfóir inár measc?'

'Oh, gosh, no,' arsa Saoirse. 'Ach níl go leor spáis di sa teach. I ndáiríre.'

'Ní inseoimid faic di faoi na heachtraí is déanaí,' arsa Méiní.

Ach an oíche sin bhí glaoch eile ag Saoirse óna máthair.

'Chuala mé an nuacht,' ar sise. 'In ainm Dé. Nach bhfuil eagla an domhain ort ansin i d'aonar?'

'Táim ceart go leor, a Mham,' arsa Saoirse. 'Cad a dúirt siad ar an nuacht?'

'Gur maraíodh an bhean óg seo, Patsy something or other, trí lá ó shin agus gur thángthas ar a corp inné.'

'Sin an méid?'

'Bhuel, bhí agallamh acu le cigire éigin, duine agus blas ait cainte aige, a labhair go mall mar a labharfá le daoine a bhí ar lagintinn. Dúirt sé go raibh siad ag lorg eolais faoi fhear a raibh gruaig dhorcha agus *anorak* gorm air.'

Níor luaigh said gur Saoirse a tháinig ar an gcorp.

'Right!' arsa Saoirse. 'Ná bíodh imní ort. Táim ceart go leor.'

12

Ag a naoi a chlog an mhaidin dár gcionn bhí Saoirse fós sa leaba nuair a buaileadh cnag ar an doras.

'Hi!' arsa Máirtín, nuair d'oscail sí an doras. Ní raibh a éide oifigiúil air, ach *jeans* agus seaicéad leathair. Thug Saoirse faoi deara den chéad uair go raibh gruaig rua air, agus an craiceann bricíneach a théann léi.

'Gosh!' arsa Saoirse. 'Fan nóiméad anois. Táim ag codladh go trom na laethanta seo.'

'Ar thóg tú piollaire arís aréir?' a d'fhiafraigh sé.

'Níor thóg. Ach mar sin féin ...'

Mhínigh Máirtín go raibh sé ag dul go cathair Chorcaí. Bhí sé tar éis eolas a fháil faoi chúlra Phatsy – seoladh a máthar go háirithe. Tugadh an drochscéal dá mháthair inné ach anois bhí sé ag iarraidh bualadh léi, chun breis eolais a bhailiú faoi Phatsy.

'Tuigim!' arsa Saoirse. 'Cad faoin gCigire?'

'An Cigire?'

'An Cigire Ó Muircheartaigh. Bhí sé anseo inné. Dúirt sé gurbh eisean a bhí i bhfeighil an cháis anois, nach raibh baint ar bith agaibhse leis.'

Dhein Máirtín gáire.

'Ná bac leis,' ar seisean. 'Bureaucracy. Táimse ar an gcás agus níl sé chun bac a chur liom. Ní bhfuair an Cigire Ó Muircheartaigh réiteach ar chás ar bith riamh ina shaol. Níl maitheas ar bith ann. Ná in éinne de na *so called* bleachtairí sin atá in ainm is a bheith ag obair leis.'

Bhí fearg ar Mháirtín. Bhí sé dearg san aghaidh agus ag labhairt go teasaí.

'Oh, right,' arsa Saoirse. 'Bhuel, gosh … right!'

Bhí Máirtín ciúin ar feadh nóiméid. Ansin labhair sé go réidh.

'Tháinig mé timpeall chun cuireadh a thabhairt duit teacht liom,' arsa Máirtín, 'más mian leat.'

Chuir an cuireadh ionadh ar Shaoirse.

'Go Corcaigh?'

'Bheadh sé ina chabhair dom bean a bheith in éineacht liom, ceapaim. Agus ós rud é go raibh aithne agat ar Phatsy agus gur tusa a d'aimsigh í, bheadh leithscéal maith agat bualadh lena máthair.'

Thosaigh na cait ag clamhsán. Bhreathnaigh Saoirse orthu.

'Na cait,' a dúirt sí. Ach i ndáiríre níorbh aon leithscéal na cait.

'Caith amach iad!' arsa Máirtín. Ní raibh meas madra aige ar na cait. 'Lá breá is ea é. Beidh siad in ann lá amháin a chaitheamh amuigh faoin aer, cosúil le gnáthainmhithe nádúrtha in ionad peataí beaga gránna.'

'Is dócha nach ndéanfadh sé dochar ar bith dóibh,' arsa Saoirse. Ach thug Sayers féachaint nimhneach uirthi. 'Nó d'fhéadfainn bia a fhágáil amuigh faoina gcoinne. B'fhearr leo a bheith istigh, is dócha, ar eagla go dtosódh sé ag cur fearthainne.'

'Pé rud a cheapann tú,' arsa Máirtín go mífhoighneach. 'Tiocfaidh tú liom?'

'Tiocfaidh,' arsa Saoirse.

'Maith an bhean!' arsa Máirtín. Níor úsáid sé an focal 'cailín' mar a dhein daoine eile. Aisteach, a cheap Saoirse, agus í ag dul in airde staighre chun a cuid balcaisí a chur uirthi. Aisteach nár dhein an focal 'bean' aon rud di. Chuir sé múinteoirí scoile i gcuimhne di. Agus Bean de Valera. Seandaoine.

Thug Máirtín cic beag do Sayers nuair a bhí Saoirse imithe. Nuair a d'fhill sí, bhí an dá chat i bhfolach faoin gcathaoir.

D'fhág sí mias lán d'uisce agus ceann eile lán de *Whiskas*.

'OK!' a dúirt sí. 'Sin mo chuid cúraimí déanta. Ar aghaidh linn.'

Ní raibh mórán tráchta ar an mbóthar agus thiomáin Máirtín go tapa. Agus iad ag tiomáint, d'inis sé do Shaoirse an méid a bhí faighte amach aige ó inné.

'Bhí ainm a máthar ag Jessica,' ar seisean. 'De réir dealraimh tá a tuismitheoirí scartha óna chéile le fada. Bhí roinnt teagmhála ag Patsy lena máthair ach chomh fada agus ab eol do Jessica, ní bhíodh sí i dteagmháil lena hathair in aon chor. Ar ndóigh, caithfidh mé é sin a sheiceáil.'

'Tuigim,' arsa Saoirse

'Maidir lena cairde thart faoin Daingean, ní raibh mórán ar eolas acu, i ndáiríre,' arsa Máirtín. 'Bhí sí cairdiúil le lánúin a chónaíonn sa bhaile féin, daoine ar leo proinnteach i lár an bhaile. Níor labhair mé leo siúd go fóill. Agus bhíodh sí i dteagmháil le potaire eile –

cheannaíodar cré agus mar sin de i gcomhpháirtíocht.
Ansin an ríomhaire ...'

'Cad a bhí á dhéanamh aici ar an idirlíon?'

'Sin rud nach bhfuil soiléir. Gan amhras chabhraigh
sí le daoine suímh a chur air, mar a dhein sí leatsa. Ach
an raibh níos mó ná sin i gceist? Níl a fhios agam. Tá an
ríomhaire agus an bogearra ar fad i dTrá Lí anois, agus
scrúdú á dhéanamh air ag saineolaí. Beidh tuairisc agam
go luath, ceapaim, agus táim dóchasach go dtabharfaidh
na tuairiscí sin leid dom, ar a laghad.'

'Mm,' arsa Saoirse. 'Agus ... cad faoi Jason? Agus
Jessica? Ar thug tú aon rud faoi deara maidir leo siúd?'

Choimeád Máirtín a shúile ar an mbóthar. Bhí siad ag
druidim le cathair Chorcaí anois agus bhí an trácht ag
éirí níos troime.

'Bhuel. Bhíodar neirbhíseach. Ach tá sé sin nádúrtha.'

'Yeah,' arsa Saoirse. 'Is dócha go bhfuil.'

'Cén fáth a gcuireann tú an cheist?' arsa Máirtín.

'Á,' arsa Saoirse. Bheartaigh sí gach rud a insint dó.
'Bhí mise agus Méiní ag ceapadh go mb'fhéidir go raibh
rud éigin ar siúl idir Jason agus Patsy.'

'Phew!' arsa Máirtín. Ach thiomáin sé leis go
cúramach. 'Cén fáth a gceapfá sin?'

'Bhí cairdeas de shaghas éigin eatarthu pé scéal é,'
arsa Saoirse. 'D'airigh mé é nuair a bhí mé sa teach leo,
seachtain nó dhó ó shin. Bhí seisean níos cóngaraí di ná
mar a bhí Jessica.'

'Meas tú an raibh *affaire* ar siúl?'

'Conas a bheadh a fhios agamsa?' arsa Saoirse.
'B'fhéidir nach sin a bhí i gceist, ach gaol de shaghas
eile. Cairdeas.'

'Nó gaol proifisiúnta?'

'B'fhéidir,' arsa Saoirse.

'Níor thug mé faoi deara go raibh sé neirbhíseach go speisialta. Bhí sise an-corraithe. Ach bhí Jason *all right*.'

'Dúirt Jessica le Méiní go raibh Jason tinn, sa leaba, toisc é a bheith chomh corraithe sin,' arsa Saoirse.

'Ambaiste!' arsa Máirtín. 'An ndeir tú liom é!'

Bhí siad anois istigh i mbruachbhailte Chorcaí. Thiomáin siad ar bhealach mór a bhí ag sní trí eastáit leadránacha lán de thithe beaga bána agus d'ionaid siopadóireachta. Séipéal ollmhór ag gobadh amach anseo is ansiúd. Bhí an lá dorcha ceathach agus bhí cuma ghruama ar an áit ar fad. Chuir sé an Naigín i gcuimhne do Shaoirse.

Chrith sí le fuacht, go tobann. Bhí a fhios aici go raibh rudaí ar siúl ar na bóithre loma suaracha, go raibh páistí ag súgradh orthu agus daoine ag dul anseo agus ansiúd, iad gnóthach i mbun chúraimí an tsaoil. Bhí a fhios aici go raibh daoine ag léamh agus ag cócaireacht agus ag féachaint ar an teilifís istigh sna tithe, go raibh siad ag caint agus ag gáire, go raibh cuid acu i ngrá agus cuid acu uaigneach, go raibh sonas agus míshonas, áilleacht agus gráin, sna háiteanna seo, mar a bhí in aon áit eile. Ach mar sin féin chuir an áit sceoin uirthi. Níor theastaigh uaithi cur fúithi i mbruachbhaile riamh arís. Níor theastaigh uaithi a súile a oscailt agus na rudaí gránna seo a fheiceáil.

'Tobar an Domhnaigh!' arsa Máirtín, go tobann. Fad is a bhí Saoirse ag smaoineamh ar shaol na cathrach agus ar shaol na tuaithe bhí siad tar éis míle slí nó mar sin a chur díobh. Bhí siad anois i gceantar galánta, áit a raibh seantithe móra ina seasamh i ngairdíní fada, taobh thiar de ráillí iarainn. Bhí crainn ag fás sna gairdíní, agus an abhainn le feiceáil taobh thiar de na tithe. Stad Máirtín lasmuigh de theach mór. Bhí crann mór neamhghnách sa ghairdín.

'Crann figí!' arsa Saoirse, á scrúdú agus iad ag siúl ar an gcosán go dtí an príomhdhoras. Bhí an gairdín fairsing, agus brat féir a bhí chomh tiubh le brat urláir ar bith á chlúdach. Dá mbeadh an chathair go léir cosúil leis an gcuid seo di, b'fhéidir go mbeadh saol na cathrach ar aon dul le saol na tuaithe.

'Yeah!' arsa Máirtín. 'Ní raibh mé ag súil leis seo!'

Bhuail sé ar an gclog. Tar éis nóiméad nó dhó, osclaíodh an doras.

'Hello?' Fear a bhí ann. Bhí an chuma air go raibh sé sna daichidí. Gruaig dhubh agus croiméal air. Bhí bríste corda agus geansaí bog uaine á gcaitheamh aige.

'An Garda Ó Flaithearta,' arsa Máirtín, ag taispeáint a chárta aitheantais dó. 'Tá coinne agam le Melissa McCarthy.'

'Ó, sea, sea, sea,' arsa an fear. 'Mise a fear céile. Charlie Browne. Tar isteach.'

'Seo Saoirse Ní Ghallchóir,' arsa Máirtín.

'Dia duit, a Shaoirse,' arsa Charlie. 'Garda thusa freisin?'

'Oh, gosh, no,' arsa Saoirse. 'Um, no. Mise a ...'

'Ise mo rúnaí,' arsa Máirtín go tapa. Baineadh geit as Saoirse.

'An ea?' arsa Charlie, agus an chuma air go raibh ionadh air siúd freisin. 'Bhuel, tar isteach pé scéal é. Tá

Melissa sa seomra suí. Fan soicind agus déarfaidh mé léi go bhfuil sibh anseo.'

D'fhág sé ina seasamh sa halla iad. Halla fada seanaimseartha ba ea é. Bhí seantroscán ann, agus plandaí móra dorcha, *aspidistra* agus planda *Swiss Cheese*, agus crann mór *yucca* i bpota práis.

'Cén fáth ar dhúirt tú gur mise an rúnaí?' arsa Saoirse.

'Níl a fhios againn cé mhéad eolais atá aige siúd,' arsa Máirtín. 'Caithfimid a bheith cúramach.'

'Right' arsa Saoirse. 'An ceart dom nótaí a ghlacadh nó rud éigin?'

'Murar mhiste leat!' arsa Máirtín.

'Ó, pé rud a deireann tú,' arsa Saoirse. Thug sé peann agus leabhar nótaí di.

Tháinig Charlie Browne amach arís.

'Tá sí ag feitheamh oraibh,' a dúirt sé. 'Tá sí trína chéile. Bígí cúramach.'

'Ní bheimid i bhfad,' arsa Máirtín.

'An ceart domsa fanacht? Nó dul áit éigin eile?' a d'fhiafraigh Charlie de.

'Murar mhiste leat dul áit éigin eile anois. Ach b'fhéidir go mbeadh ceisteanna agam ort ar ball.'

'OK!' arsa Charlie, go gealgháireach. 'Beidh mé sa leabharlann, in airde staighre. Is féidir glaoch a chur orm ar an líne inmheánach má bhíonn tú ag iarraidh mé a fheiceáil.'

'Déanfad,' arsa Máirtín.

Chuaigh siad isteach sa seomra suí.

Seomra mór a bhí ann, sa stíl chéanna leis an halla. Troscán seanaimseartha galánta. Brat de dhéantús na Peirse ar an urlár. Síoda bán, nó rud éigin den saghas sin, ar na ballaí. Ach bhí pictiúir nua-aimseartha ar na ballaí freisin, i measc roinnt pictiúr impriseanaíoch. Cheap Saoirse gur aithin sí ceann le Jack B. Yeats an soicind a shiúil sí isteach sa seomra. Baineadh geit aisti arís. Teach neamhghnách ba ea an teach seo.

Bhí Melissa McCarthy ina suí ar tholg mór bán os comhair na tine. Chas sí ach níor éirigh sí ina seasamh nuair a tháinig siad isteach sa seomra.

'Dia daoibh,' ar sise. Bhí guth éadrom ceolmhar aici, guth cailín óig. Ach ní raibh an guth sin ag teacht lena haghaidh, ná leis an gcuid eile di.

Bhí cuma aisteach uirthi. Bean dhathúil ba ea í, nó bean a bhí dathúil lá den tsaol. Ach níor dhuine í a bhí ag dul i gcríonnacht go nádúrtha. A mhalairt ar fad. Bhí sé róshoiléir go raibh cogadh fíochmhar á fhearadh aici ar an aois. Bhí sí róthanaí ar fad. Bhí a cuid gruaige cóirithe mar a bheadh babhla uibheacha ann: buailte go dtí go raibh a mais féin méadaithe faoina trí nó faoina ceathair. *Frizz* fionn. Craiceann ar nós páipéir bháin. Beola ar dhath bhusanna Londan. Bhí sí gléasta i mionsciorta dubh, stocaí dubha, agus seaicéad dearg. Bhí fáinní beaga diamaint ina cluasa.

'Déanaim comhbhrón leat,' arsa Máirtín agus é ag tógáil a láimhe. Dhein Saoirse iarracht cúpla focal den saghas céanna a rá ach is ar éigean a fuair sí deis.

'Is ar éigean is féidir liom é a chreidiúint,' arsa Melissa. 'Patsy bhocht! Patsy bhocht! Ní raibh *karma* maith aici riamh.'

Scaoil Máirtín a lámh agus bhreathnaigh Melissa go géar ar Shaoirse.

'Mise Saoirse,' arsa Saoirse. 'Mise ... mise a tháinig ar chorp d'iníne.'

Thóg Melissa a lámh agus stán isteach ina cuid súl.

'Tá trua agam duit,' arsa Melissa.

Tharraing Saoirse siar. Shuigh sí i gceann de na cathaoireacha móra uilleann, cé nár tugadh cuireadh di sin a dhéanamh. Shuigh Máirtín síos freisin. Níor bhac sé a rá le Melissa gurbh í Saoirse a rúnaí. Seans go sílfeadh sí go raibh sé ait gurbh í rúnaí an gharda a tháinig ar chorp a hiníne.

Ghlan Máirtín a scornach.

'Tá sé seo dian ort,' ar seisean le Melissa.

'Tá. Ach níl leigheas againn air, an bhfuil?' ar sise.

'Níl, faraor,' arsa Máirtín. 'An fhadhb atá agam – againn – ná nach bhfuil eolas ar bith againn i dtaobh Phatsy.'

Thosaigh Melissa ag caint gan mhoill.

'Patricia Isabelle McCarthy,' arsa Melissa. 'Rugadh í Lá Fhéile Pádraig 1969. Anseo i gCorcaigh. Mise a máthair agus ba é Jack McCarthy a athair. M'fhear céile ag an am sin.'

'Tá sibh scartha?'

'Táimid scartha ó 1976.'

'Agus cá bhfuil Jack McCarthy anois?'

'I Londain.'

'Cén tslí bheatha a bhí ... atá aige?'

'Dochtúir is ea é. Dochtúir leighis. Cosúil liom féin.'

Bhreathnaigh Saoirse agus Máirtín ar a chéile. Bhreathnaigh Máirtín ar leabhar nótaí Shaoirse agus chuimhnigh sise gur rúnaí í. Thosaigh sí ag scríobh.

'Right!' arsa Máirtín. 'Tá tú fós ag obair?'

Níor fhreagair sí láithreach é. Ansin dúirt sí:

'Nílim seasca go fóill.'

'Agus an sa bhaile a bhíonn tú ag cleachtadh?'

'Ní hea, ach sa Bons Secours.' Stad sí arís, agus dhein smaoineamh tamaillín. 'Táim ag smaoineamh ar éirí as ach ceapann Charlie go gcuirfeadh sé isteach orm a bheith díomhaoin an t-am ar fad.'

D'fhan Máirtín féachaint an mbeadh a thuilleadh le rá aici. Ach ní raibh.

'Tá tú pósta le Charlie le fada?'

Dhein sí gáire beag.

'Le yonks!' arsa Melissa. 'Tá.'

'Tuigim,' arsa Máirtín. 'Agus cad a dhéanann Charlie?'

'Tá gnó aige,' arsa Melissa. 'A ghnó féin.' Ghlac sí sos. Ansin dúirt sí: 'Díolann sé tithe.'

'Tuigim,' arsa Máirtín. Cheap Saoirse go bhfiafródh sé di cén t-ainm a bhí ar a ghnó nó cá raibh sé lonnaithe, ach níor dhein. Thiontaigh sé ar Phatsy mar ábhar cainte. 'Maidir le Patsy. D'fhan sí anseo leatsa nuair a scar tusa óna hathair.'

'D'fhan sí anseo go dtí go raibh sí beagnach fásta. Ansin chuaigh sí ar scoil chónaithe, i mBaile Átha Cliath.'

'Cén scoil?'

'Mount Anville. Agus nuair a bhí an ardteist déanta aici, thosaigh sí ag déanamh staidéir ar an dlí i gColáiste na Tríonóide.'

'Dlíodóir ba ea í más ea?' arsa Máirtín.

'D'éirigh léi céim a bhaint amach ann pé scéal é,' arsa Melissa. 'Níor chleacht sí an dlí. I ndáiríre, níor dhein sí lá ceart oibre riamh ina saol.'

'Mm,' arsa Saoirse, ag smaoineamh ar Phatsy sa cheardlann.

Stop Melissa ag caint ar feadh tamaillín. Bhí cuma smaointeach uirthi.

'Ar mhaith libh tae nó caife?' ar sise go tobann.

Bhí Saoirse ag tnúth le cupán. Dúirt sí gur mhaith go tapa, sara mbeadh deis ag Máirtín a mhalairt a rá.

'Okey, dokey!' arsa Melissa. Phioc sí suas teileafón a bhí ar an mbord beag taobh leis an tolg.

'Hi, Charlie!' dúirt sí. 'Caife do thriúr, le do thoil! Okey, dokey!'

Chuir sí uaithi an teileafón.

'Patsy! I ndiaidh di an chéim a bhaint amach, bheartaigh sí dul ar turas go dtí an India. Thóg sí cúig mhíle punt ón gcuntas a bhí curtha ar leataobh agam dá cuid oideachais, agus d'imigh léi.'

'Agus cé chomh fada a chaith sí ansin?'

'Níl tuairim agam, chun na fírinne a rá. Níor dhein sí aon teagmháil liom ar feadh a sé nó a seacht de bhlianta.'

'Nár dhein? Agus cad faoi éinne eile? An raibh cairde ar bith aici anseo?'

Tháinig Charlie isteach leis an gcaife.

'Ceart go leor, a stór?' a dúirt sé le Melissa.

'Táim ceart go leor, Charlie,' ar sise. 'Tá tuirse orm, sin an méid.'

Bhreathnaigh Charlie ar Mháirtín.

'An mbeidh tú mórán níos faide?'

'Ní bheidh,' arsa Máirtín. Bhreathnaigh Saoirse air. Bhí a lán ceisteanna fós le cur.

'Go maith,' arsa Charlie. 'Tuigeann tú go bhfuil Melissa tar éis a lán a fhulaingt le dhá lá anuas. Agus beidh an tsochraid ann amárach.'

Baineadh geit as Saoirse nuair a chuala sí an focal 'sochraid'. Bhí dearmad glan déanta aici go mbeadh a leithéid ann. Ach, ar ndóigh, bheadh.

'Anseo a bheidh an tsochraid?'

'Ar ndóigh,' arsa Charlie. 'Siúcra?'

'Oh, no,' arsa Saoirse. 'Braon bainne.'

Dhoirt sé bainne isteach ina cupán agus shín chuici é.

'Cad faoina cairde i nDún Dearg?'

'Beidh na socruithe san *Irish Times* inniu agus amárach,' arsa Charlie. 'Tá fáilte rompu ar fad teacht anseo.'

'Bhuel,' arsa Saoirse agus í ag ceapadh nach mbeadh freastal rómhór ar an tsochraid.

'Má cheapann tú gur cheart searmanas éigin a eagrú sa Daingean, táim sásta sin a dhéanamh,' arsa Charlie. 'Tá aithne agam ar an ministir ann. D'fhéadfainn glaoch a chur air.'

'An mbíonn tú féin sa Daingean go minic?' arsa Máirtín.

'Anois is arís,' arsa Charlie. 'Bíonn gnó agam leis an gceantálaí ansin. Tithe a dhíol agus mar sin de.'

'Right!' arsa Máirtín. 'Tuigim. Ó Broin, an ea?'

'Sea, Ó Broin,' arsa Charlie. 'Dingle Deals. Bhí mé ann coicís ó shin, mar a tharlaíonn sé.'

'Ach níor dhein tú teagmháil le Patsy nuair a bhí tú ann?' arsa Máirtín.

'Níor dhein,' arsa Charlie. 'Níor bhuail mé riamh le Patsy, mar a tharlaíonn sé.'

Agus d'fhág sé an seomra.

'Níor bhuail sé riamh le Patsy?' Bhreathnaigh Máirtín ar Melissa.

Chroith sí a cuid guaillí.

'Toil Phatsy. Níor ghlac sí leis riamh, cé ... Scéal fada is ea é. Nílim ag iarraidh é a insint anois.'

'D'fhéadfainn filleadh lá éigin eile?' arsa Máirtín. 'I gceann lá nó dhó?'

'Ceart go leor,' arsa Melissa. 'Tá tuirse orm anois.'

'Níl ach ceist nó dhó eile agam inniu,' arsa Máirtín. 'Cathain a tháinig Patsy ar ais ón India?'

'Tháinig sí ar cuairt chugamsa anseo trí bliana ó shin,' arsa Melissa. 'D'iarr sí iasacht airgid uaim. Theastaigh uaithi teach a cheannach agus gnó a chur ar bun amuigh ansin i gCiarraí.'

'Agus?'

'Thug mé di é,' arsa Melissa. 'I ngan fhios do Charlie.'

'Right,' arsa Máirtín. 'Cén fáth?'

'Ní hé gur phléigh mé leis é. Ach ... ar aon nós, ba liomsa an t-airgead. Níor luaigh mé leis é. Ní raibh an méid sin ar fad i gceist. Thug mé di é. Agus chuaigh sí ann. Ó shin i leith chuir sí ríomhphost chugam anois is arís. Thug sí cuireadh dom dul ar cuairt chuici ach níor dhein. Níor dhein. Agus anois ...'

Tháinig deora lena súile.

'Níl ach ceist amháin eile agam ort,' arsa Máirtín. 'Seoladh d'fhir chéile, Jack McCarthy?'

Chroith sí a ceann.

'Níl sé agam,' a dúirt sí. 'Ní bhíonn teagmháil ar bith eadrainn. An Dr Jack McCarthy, General Practitioner. Last sighted in Palmer's Green.'

'B'fhéidir gur leor sin,' arsa Máirtín. 'Slán agus go raibh maith agat. Cuirfidh mé glaoch ort agus seans go bhfillfidh mé i gceann tamaillín ghairid.'

'Okey, dokey,' arsa Melissa McCarthy.

'Cén fáth nár cheistigh tú Charlie?' arsa Saoirse, agus iad ar ais sa ghluaisteán.

'Déanfaidh mé sin go luath,' arsa Máirtín, 'cé nach gceapaim go mbeidh sé in ann cabhrú liom. Ní raibh aithne aige ar Phatsy, fiú amháin.'

'Más fíor an méid a deir siad,' arsa Saoirse. 'Cheap mé go raibh rud éigin ait ag baint leis, ní fheadar cad é.'

'An croiméal sin,' arsa Máirtín. 'Cuireann croiméal amhras ar mhná.'

Baineadh geit as Saoirse. Ach nuair a smaoinigh sí air, shíl sí go raibh an ceart aige.

'Sea,' arsa Máirtín. 'Cuireann siad isteach ar dhaoine go minic, go háirithe ar mhná. Sin rud atá tugtha faoi deara go minic agam. Níl a fhios agam cén bunús atá leis. Ach ní bhíonn muinín ag mná as fir strainséartha a chaitheann croiméal. Anois tá a mhalairt ar fad i gceist le spéaclaí. Dá mba rud é go raibh péire deas spéaclaí ar shrón Charlie, ní bheadh aon amhras ort ina thaobh. Chreidfeá gur duine macánta é.'

'Hm,' arsa Saoirse. 'Ní fheadar. Ní raibh croiméal ar bith ar Melissa ach cheap mé go raibh sise aisteach freisin.'

'An-aisteach ar fad!' arsa Máirtín. 'Ach mura raibh croiméal uirthi bhí rudaí aisteacha eile uirthi, nach raibh?'

'An iomarca smididh. Dá mbeadh sí ina seanbhean liath chromtha, agus cairdeagan agus bróga ciallmhara uirthi, gan béaldath ar bith, bhuel ...'

'Bhuel is right!' arsa Máirtín. 'An mbeidh greim le hithe againn sarar mbuailfimid bóthar arís?'

'Bheadh sé sin go hiontach!' arsa Saoirse.

Pháirceáil sé an gluaisteán agus chuaigh siad go dtí an Crawford Gallery chun lón a ithe. Bhí bialann bheag chluthar ann, taobh thiar de hallaí a bhí lán de sheandealbha marmair.

'Tagaim anseo aon uair a bhím i gCorcaigh,' arsa Máirtín. 'Is maith liom é, cé go bhfuil a lán bialann maith eile sa chathair. An raibh tú anseo cheana?'

'Ní raibh,' arsa Saoirse. Níor lig sí uirthi nár leag sí cos i gCorcaigh ó bhí sí deich mbliana d'aois. Agus an uair sin bhí sí ar a bealach go dtí an Bhriotáin lena muintir ar saoire champála.

D'ordaigh sí sailéad le cáis ghabhair, agus ológa. Bhí píóg an aoire ag Máirtín. D'ordaigh sé leathbhuidéal fíona.

Tháinig an fíon go tapa agus níorbh fhada ina dhiaidh sin gur tháinig an bia.

'So, cad a dhéanfaidh tú anois?' arsa Saoirse.

'Táim ag feitheamh leis na torthaí ón mbean sin atá i mbun an ríomhaire a scrúdú,' arsa Máirtín. 'Fanfaidh mé air sin. Ceapaim go mbeidh leid éigin ann.'

'Agus an bhfuil sé i gceist agat dul go Londain agus athair Phatsy a lorg?'

'Beidh ar dhuine éigin an drochscéal a thabhairt dó,' arsa Máirtín. 'Is ait an rud é nach raibh a sheoladh ag Melissa.'

'B'fhéidir go bhfuil a sheoladh i measc cháipéisí Phatsy. Nó ag dlíodóir éigin. An raibh uacht déanta aici?'

'Ní dóigh liom é,' arsa Máirtín. 'An bhfuil ceann déanta agatsa?'

'Níl, ar ndóigh,' arsa Saoirse. 'Ach bhí teach ag Patsy, agus gnó.'

'Níor thángamar ar aon rud mar sin i measc na bpáipéar a bhí aici, pé scéal é,' arsa Máirtín. 'B'fhéidir go mbeidh rud éigin ar an ríomhaire. Seoladh. Ar ndóigh, ní chuireann daoine uacht ar an ríomhaire. Go fóill.'

'Agus nach féidir tuairisc a fháil ar ghlaonna teileafóin? Ar a laghad le déanaí?' arsa Saoirse.

'Aisteach go leor níor úsáideadh an teileafón le fada, de réir dealraimh. Níor bhain Patsy úsáid as an líne ach chun dul ar an idirlíon agus mar sin de.'

'Níor úsáid sí líne na talún ach bhí teileafón póca aici.'

D'éirigh Máirtín as a bheith ag cogaint a phióg feola.

'An raibh?'

'Ar ndóigh. Bhí sí ag caint air an uair dheireanach a bhí mé léi. Is cuimhin liom go maith é mar fuair sí dhá ghlaoch i ndiaidh a chéile agus uimhreacha míchearta ba ea an dá cheann.'

'Mm,' arsa Máirtín. 'Ait. An-ait.'

'Cén fáth?'

D'ól Saoirse braon fíona. Bhí sé thar a bheith go maith. Thug sí sracfhéachaint ar an lipéad. Chablis. Howard's Creek, Australia. 1997. Dhein sí iarracht na sonraí a chur de ghlanmheabhair ionas go mbeidís aici nuair a rachadh sí ag ceannach fíona arís.

'Níor aimsíomar teileafón póca ar bith sa teach.'

'Mm,' arsa Saoirse. 'Cad a chiallaíonn sé sin?'

'Uimhir a haon. Thóg an dúnmharfóir leis é, toisc go raibh a fhios aige go mb'fhéidir go mbeadh fianaise éigin ann nach dhéanfadh maitheas dó.'

'Nó? Uimhir a dó?'

'Ní féidir liom smaoineamh ar uimhir a dó faoi láthair!' arsa Máirtín.

'Chaill sí é?'

'Yeah. Ach an dtarlódh sé sin, i ndáiríre?'

'Tarlaíonn sé.'

'Ní féidir uimhir a dó a chur as an áireamh ach is fearr liom uimhir a haon.'

'Sea. Agus liomsa freisin. So, caithfimid an teileafón a lorg.'

D'fhéach sé go géar uirthi.

'Dá ngoidfeása teileafón toisc gur shíl tú go raibh sé dainséarach, cad a dhéanfá leis?'

'Chaithfinn amach san fharraige é.'

Lig Máirtín osna.

'Cá heile? Is mó fianaise atá san fharraige thart anseo. De ghnáth caitheann siad na corpáin inti freisin.'

'Ach an uair seo, níor dhein.'

'B'fhéidir nach bhfuaireadar an seans.'

13

D'fhan Saoirse i gCorcaigh an oíche sin, cé gur imigh Máirtín ar ais go dtí an Daingean. Theastaigh uaithi dul go dtí sochraid Phatsy an lá dár gcionn. Chomh luath agus a luaigh sí seo le Máirtín, bhí sé go mór ina fhabhar mar phlean. 'B'fhéidir go dtabharfaidh tú rud éigin spéisiúil faoi deara,' a dúirt sé, agus é lán dóchais. Duine suairc ba ea é, gan aon agó.

'Bhuel. Ní hé sin an fáth a bhfuil mé ag fanacht,' arsa Saoirse. 'Ach toisc go raibh Patsy cneasta liom. Agus ní dóigh liom go mbeidh slua mór ar an tsochraid.'

'Dhera, ní bheadh a fhios agat,' arsa Máirtín. 'Bíonn slua mór ar shochraidí sa chathair seo i gcónaí. Leithscéal ar bith chun éalú ón jab. Nó ón mbaile.'

Bhí an ceart aige. Bhí slua mór bailithe in ardeaglais Naomh Fionnbarra, an mhaidin dár gcionn. B'fhurasta do Shaoirse í féin a cheilt ar Melissa agus Charlie. Sheas sí laistiar de cholún ag bun an tséipéil. Chonaic sí iad thuas ag a bharr, agus idir í agus iad bhí céad duine nó níos mó. Bhí Melissa gléasta go drámata ar nós réalta i scannán gan chaint, rud a d'oir do shollúntacht na hócáide. Bhí sí clúdaithe i gcóta mór d'fhionnadh dubh agus bhí hata leathan veilbhite ar a ceann. Is ar éigean a bhí a haghaidh le feiceáil laistigh den fheisteas. Bhí Charlie gléasta i ngnáthéadaí – cóta dúghorm, lámhainní leathair. Bhí roinnt daoine eile agus cuma shaibhir orthu sna suíocháin tosaigh. Rith sé le Saoirse gur ghaolta le Melissa agus Patsy ba ea iad. An chuid eile den slua, bhí an chuma orthu gur mheascán de chomharsana agus de ghnáthphobal an pharóiste iad.

Seirbhís ghairid a bhí ann, rud a chuir áthas ar Shaoirse. Ní raibh dúil ar bith aici sa phaidreoireacht. Dúirt an ministir cúpla paidir go tapa. Ansin thug sé seanmóir mall. Bhí an seanmóir níos faide ná na paidreacha, agus an-leadránach ar fad. Luaigh sé an tragóid uafásach a tharla do Phatsy. Dúirt freisin gur bhean í a bhí éirimiúil agus álainn as an ngnáth. De réir dealraimh bhí a lán onóracha agus duaiseanna bainte amach ag Patsy agus í ina cailín, agus luaigh sé gach aon cheann acu: bhuaigh sí duais san Fheis Cheoil nuair a bhí sí dhá bhliain déag, don rince Gaelach. Bhuaigh sí rothar i gcomórtas ar an teilifís nuair a bhí sí deich mbliana d'aois. Bhuaigh sí duais mar Eolaí Óg nuair a bhí sí san idirbhliain ar scoil. Bhuaigh sí deich míle punt sa Lotto agus í ag druidim le fiche bliain d'aois.

'Patricia was an exceptionally talented and exceptionally lucky young woman,' a dúirt sé. Go dtí anois, gan amhras. 'She was however, and perhaps dangerously, unique. She went her own way and made unusual choices. That was part of her uniqueness, a result of her exceptional courage and gifts. Whatever she did bore fruit. What a terrible tragedy that such a gifted life has been cut short in this way. But in our sorrow her mother and father, her relations and many friends, can take consolation from the fact that she lived life to the full for her thirty one years …'

I ndiaidh na seirbhíse, sheas Saoirse lasmuigh den séipéal, i measc daoine eile, ag feitheamh go dtí go n-imeodh an tsochraid. Sheas sí laistiar de cholún lasmuigh freisin, ar eagla na heagla.

Bhí an lá fuar, ach bhí sé tirim. Bhí roinnt cainte agus comhrá ar siúl, daoine ag dul suas chuig Melissa agus ag breith barróige uirthi, nó ag croitheadh láimhe léi. Níorbh fhada, áfach, gur shleamhnaigh Melissa agus Charlie isteach i Mercedes beag dearg spóirt. Thosaigh an tsochraid ag gluaiseacht amach as gairdín an séipéil.

Is ansin a thug Saoirse faoi deara go raibh seanfhear ard ag caoineadh agus é ag dul isteach ina ghluaisteán féin (BMW nua, a thug sí faoi deara).

'Cé hé an fear sin?' a d'fhiafraigh sí de bhean a bhí in aice léi ar an taobh eile den cholún.

'Jack McCarthy,' arsa an bhean. 'Jack bocht! Buille gránna is ea an rud seo!'

'Athair Phatsy?' arsa Saoirse.

'Ó, sea, ar ndóigh,' arsa an bhean. Bhreathnaigh sí ar Shaoirse. Bean bheag dheas ba ea í, sna seascaidí. 'Tá sé scartha óna bhean, tá a fhios agat?'

'Ó Melissa? Tá a fhios agam.'

'D'fhág sí é, fadó, fadó.' Chroith sí a ceann. 'Ní raibh a fhios aici nuair a bhí an t-ádh léi. Agus féach an rud atá anois aici! In ainm Dé.'

'Charlie?'

'Charlie!'

Bhuail smaoineamh Saoirse.

'Bhfuil sí in éineacht le Charlie le fada?'

'Fada go leor. Dhá bhliain is dócha.'

'Tá siad pósta?'

Bhí sé soiléir gur cheap an bhean go raibh a dóthain ráite aici. Tháinig an dearcadh sin ar a haghaidh a chiallaíonn 'Táim chun mo chlab mór a dhúnadh anois cé go bhfuil sé beagáinín déanach.'

'Ó, is dócha é,' ar sise. 'Nach gránna an rud a tharla do Phatricia? Cén saghas comhluadair atá againn in Éirinn na laethanta seo? Briseadh isteach sa teach béal dorais liom Oíche Nollag nuair a bhí na comharsana ar Aifreann na Gine, agus goideadh gach rud – na bronntanais a bhí Santa le tabhairt do na páistí, an turcaí, an champagne don Mhílaois. Cén saghas duine a dhéanann a leithéid?'

Thug Saoirse cluas don tseanbhean go dtí go raibh a liodán curtha di aici, ansin d'fhág slán léi. Idir an dá linn, bhí Jack McCarthy imithe. B'fhéidir gur ag an reilig a bhí sé. Bheartaigh Saoirse gan é a leanúint. Theastaigh uaithi dul abhaile. D'fhág sí an ardeaglais agus shiúil ar ais i dtreo lár na cathrach. Chuir sí glaoch ar Mháirtín ó bhosca teileafóin ach ní raibh sé san oifig agus ní raibh a theileafón póca ar siúl ach an oiread. Bhí leathuair an chloig aici go dtí am na traenach. Shiúil sí amach go dtí an stáisiún, chun pinginí a spáráil.

Bhí sé leathuair tar éis a sé tráthnóna nuair a shroich sí an teach i nDún Dearg. Chomh luath agus a d'oscail sí doras an tí léim na cait uirthi. Bhí siad as a meabhair le huaigneas agus le hocras.

'Oh, gosh!' arsa Saoirse. Bhí siad ag iarraidh í a phógadh, nó, b'fhéidir, í a mharú. 'Dhein mé dearmad glan oraibh!'

Scaoil sí amach iad agus ansin d'oscail canna bia faoina gcoinne. Rith siad amach agus rith siad isteach arís tar éis a ngnó a dhéanamh. Luigh siad isteach go fonnmhar ar an mbia.

D'ullmhaigh Saoirse cupán tae di féin. Nuair a shuigh sí síos chun é a ól, chonaic sí eochair ina luí ar an mbord, eochair fhada cosúil leis an gceann nár oscail an carbhán an lá faoi dheireadh.

'Wow!' arsa Saoirse. 'Ní chreidim é!'

Chuaigh sí amach láithreach chun triail a bhaint aisti.

D'oscail sí doras an charbháin gan fadhb ar bith.

Laistigh: gnáthcharbhán. Seomra mór agus bord is leapacha ann, cistin bheag ag a bhun. Seomra folctha. Dhá sheomra leapa eile. Agus doras amháin a bhí faoi ghlas.

Lasmuigh de sin, ní raibh aon rud as an tslí sa charbhán. Chun na fírinne a rá, ní raibh mórán ann. Bhí sé lom go maith. Seachas an troscán, gnáth-throscán carbháin, ní raibh faic na ngrást ann. Rian de dhuine nó d'ainmhí ní raibh le feiceáil.

Chuaigh Saoirse ar ais go dtí an teach agus bhain triail as uimhir Mháirtín arís. Ach fós ní raibh le fáil ach an t-inneall freagartha. Cad a bhí ar siúl aige?

Las sí an tine agus bhreathnaigh ar a cuid canbhás. Bhí seachtain beagnach curtha amú aici anois, a bhuíochas sin do Phatsy. Agus amárach bheadh a máthair anseo agus chuirfí an deireadh seachtaine amú freisin. Nár dhian an saol a bhí ag ealaíontóirí! Dá mbeadh sí i bpost, ar nós an phoist a bhíodh aici i ngailearaí Mhollaí, ní bheadh ar a cumas a cuid uirlisí (dá bhféadfá 'uirlisí' a thabhairt ar theileafón, ar ríomhaire, agus ar chiteal) a leagan uaithi agus rith timpeall chuig sochraidí nó ar thóir dúnmharfóirí. Nó dá ndéanfadh bheadh tuarastal á thuilleamh aici ag an am céanna. Bhí saoirse aici anois ach mura ndéanfadh sí a cuid oibre, ní bheadh pingin ar bith ag teacht isteach.

Cnag ar an doras.

Seán a bhí ann.

'A Sheáin!' Bhí áthas ar Shaoirse é a fheiceáil. 'Tá tú ar fónamh arís?'

'Muise, tá,' arsa Seán. 'Ní raibh orm ach slaghdán. Cheapamar gur fliú a bhí ann ach níorbh ea. Táim beo fós ach go háirithe.'

'Nach maith sin!' arsa Saoirse.

Tháinig sé isteach agus shuigh síos gan cuireadh a fháil. Ach b'in an saghas duine é. Duine nádúrtha.

'Drochscéal faoi Phatsy!' arsa Saoirse.

'Sea,' arsa Seán, ag ligean osna mhór. 'Patsy bhocht! Is fíor nach mbíonn a fhios againn ... "Bígí ag faire, dá bhrí sin, mar níl a fhios agaibh an lá ná an uair," mar a deir an Soiscéal.'

'An raibh aithne mhaith agat uirthi?'

'Dhera, súilaithne,' arsa Seán. 'Conas tá agat leis an uisce? An raibh an tUasal Fitzy thart le déanaí?'

'Ní fhaca le fada an lá é,' arsa Saoirse. 'Níl uisce ar bith ag teacht isteach. Ní thiocfaidh ach an oiread. Glacaim leis sin.' D'athraigh sí an t-ábhar cainte. 'Ní raibh ach súilaithne agat ar Phatsy?'

'Bhuel, níos mó ná sin. Bhí Méiní mór go leor léi, ar ndóigh.'

'Bhí.'

'Ach bíonn sí mór le gach éinne.'

'Is dócha go mbíonn.'

Bhreathnaigh Saoirse air. Ní raibh aon athrú tagtha air. Ní raibh sé le feiceáil ina ghnúis go raibh sé tinn le déanaí. Nó gur thug sé póg di an uair dheireanach a bhuail siad le chéile.

Bhreathnaigh Seán go géar uirthi siúd, freisin. Bhí sé ag stánadh uirthi, chun brú a chur uirthi tae a dhéanamh dó.

Bheartaigh sí gan é a dhéanamh. Bheartaigh sí gan tae, caife, sú torthaí ná fíon a thairiscint dó. Ní raibh deoch ar bith eile sa teach, ach amháin pé uisce a bhí fágtha sa bhairille lasmuigh.

'Ar mhiste leat gloine uisce a thabhairt dom?' arsa Seán. 'Tá scornach thinn fós orm.'

Agus í ag coimeád sriain uirthi féin, chuaigh Saoirse go dtí an bairille agus fuair gloine uisce dó.

'Bhí tú i gCorcaigh ag an tsochraid, cloisim,' a dúirt sé go mall.

'Bhí,' arsa Saoirse. Conas a bhí a fhios aige?

'Sin a chuala,' arsa Seán. 'Ócáid bhrónach, is dócha?'

'Is dócha,' arsa Saoirse. 'Bíonn ócáidí mar sin brónach de ghnáth, nach mbíonn?'

'Is maith an rud go raibh sé ar do chumas a bheith ann pé scéal é. Níor chualamar faoi go raibh sé ródhéanach.'

'Murach sin bheifeása agus Méiní ann?'

'B'fhéidir. Cá bhfios? Ach ós rud é nach raibh a fhios againn, ní rabhamar.'

Bhí sé ag iarraidh eolas a fháil faoin tsochraid, ar chúis éigin. Agus ar chúis éigin, níor theastaigh ó Shaoirse an t-eolas sin a thabhairt dó.

'Beidh seirbhís de shaghas éigin anseo amach anseo,' a dúirt sí. 'Chuala a máthair ag rá rud éigin faoi sin.'

'A mháthair?'

'Tá cónaí ar a máthair i gCorcaigh. Bhuail mé léi ann,' arsa Saoirse.

'Ag an tsochraid?' Bhreathnaigh sé uirthi go géar arís.

'Bhuel, ar ndóigh, bhí sí ag an tsochraid.'

'Oh, dear!' arsa Seán. Tháinig deora chun a shúile.

'Sea,' arsa Saoirse. 'Oh, dear!'

'Patsy bhocht bhocht bhocht!'

D'fhan sé nóiméad ag meabhrú.

'Tabharfaidh mé uisce timpeall chugat amárach,' a dúirt sé ansin, ag éirí ina sheasamh dó.

'Tá mo mháthair ag teacht don deireadh seachtaine,' arsa Saoirse. 'So, beidh sé ag teastáil.'

'Úsáideann sí a lán den stuif?' a d'fhiafraigh sé.

'Tá gnáthriachtanais aici,' arsa Saoirse.

D'imigh sé. Ní raibh sé ach imithe nuair a tháinig Máirtín chun a áit a ghlacadh.

Bhí cuma na tuirse air.

'A Mháirtín!' arsa Saoirse. 'Bhí mé ag iarraidh glaoch ort an lá ar fad!'

'Bhí mé gnóthach,' arsa Máirtín. 'An-ghnóthach. Bhfuil caife agat?'

'Tá,' arsa Saoirse. 'Fan soicind anois. Bhfuil tú ceart go leor?'

'Táim. Beagáinín tuirseach. Agus beagáinín strusáilte, mar a déarfá,' arsa Máirtín.

'Cén fáth? Cad a tharla?'

Bhí uisce sa chiteal. Chuir sí isteach an phlocóid. Smaoinigh sí ar phónairí caife a mheilt, mar a dhein sí de ghnáth d'fhir, ach shíl sí go mb'fhearr Nescafé a dhéanamh ar an ócáid seo, ós rud é go raibh sé chomh soiléir sin go raibh Máirtín i gcruachás agus an caife de dhíth go géar air.

'Fuair mé an tuairisc ar ais ón saineolaí ríomhaireachta,' a dúirt sé go tapa. 'Tá an scéal an-chasta. Bhí na céadta agus na mílte litreacha ríomhphoist air. De réir dealraimh níor scrios Patsy litir acu riamh. Agus níor choimeád sí ord ná eagar orthu. Tá siad go léir ar an C-diosca, measctha le chéile.'

'Right!' arsa Saoirse. Is mar sin a bhíodh a ríomhaire féin. Níor fhoghlaim sí conas comhaid a choimeád go slachtmhar go dtí go raibh sé ródhéanach.

'Praiseach cheart atá ann,' arsa Máirtín.

'Ar a laghad tá siad ann,' arsa Saoirse.

Bhí an citeal ar tí fiuchadh.

'Sea. Bhuel, tá siad go léir agam ar dioscaí. Tógfaidh sé tamall orm iad go léir a léamh.'

'Bhfuil tú ag rá nach bhfuil aon rud faoi leith le tabhairt faoi deara? Cad faoi na litreacha a fuair sí le gairid?'

Dhoirt sí an t-uisce beirithe ar an bpúdar, agus thug an muga do Mháirtín. Níor thóg sé siúcra nó bainne.

'Bhí sí i dteagmháil le Pilib an lá a d'éag sí. Pilib File, úinéir an tí seo. Agus ní hamháin sin, feictear dom go raibh sé sa tír ag an am.'

'Right!' arsa Saoirse. 'Gosh! Right!'

Shuigh sí síos in aice leis.

'Bhí sé anseo inniu!' a dúirt Saoirse go tobann.

'Anseo, sa teach seo?'

'Féach!' Thaispeáin sí an eochair dó. 'Eochair an
charbháin. Bhí sé ar an mbord anseo nuair a d'fhill mé ó
Chorcaigh.'

'Agus níl a fhios agat conas a tháinig sé anseo?'

'Cheap mé, ar ndóigh, gur Mhéiní a chuir ann é. Ach
anois nuair a deir tú liom go raibh seisean thart, tuigim
gurbh eisean a dhein é.'

'B'fhéidir é,' arsa Máirtín. Lig sé osna mhór
dhomhain.

'Nach bhfuil áthas ort? Tá leid nua agat anois?'

'Cén fáth a gceapann tú gurbh é Pilib File a dhein é?'

Ní raibh a fhios ag Saoirse cén fáth. Ach thuig sí ina
croí istigh go raibh baint éigin aige leis an dúnmharú.
Bhí rud éigin ait ag baint le Pilib File.

'Yeah,' arsa Máirtín, ag ól a chuid caife. 'Tá a lán
rudaí aisteacha ag baint leis. Bhí gnó éigin ar siúl ag an
mbeirt acu – iompórtáil, easpórtáil. An nóta a scríobh sé
chuici an lá sin, bhain sé le pacáiste. "Baileoidh mé an
pacáiste amárach," a scríobh sé. Rud éigin den saghas
sin. Agus gach aon chumarsáid a bhí riamh eatarthu,
bhain sé le pacáistí nó le hearraí.'

'Ach ní luaitear riamh cad iad na hearraí?'

' "Baileoidh mé an deich lítear *hash* amárach. Fág ag
an ngeata é." No. Ní luaitear sin.'

'Drugaí gan amhras. Cad eile?'

'Yeah. Boring old drugaí. Cad eile?'

'Tá an ceantar lofa leo. Tá a fhios ag madraí an bhaile
go bhfuil siad ag teacht isteach an t-am ar fad.'

'Is dócha é.'

Lig sé osna arís, agus dhein a chosa a shíneadh amach ar an urlár. Bhí cuma an-chodlatach air. Agus cuma ghruama.

'Bhí an saol agus a mháthair sa cheantar seo an lá a maraíodh Patsy,' ar seisean. 'Fuair mé amach ón dlíodóir sa Daingean go raibh mo dhuine leis an gcroiméal ann thart faoin am sin leis, cé nár admhaigh sé é.'

'Charlie?'

'Charlie. Sea. Charlie. Pilib. Jason. Cé eile a bhí ann?'

'Seán? Na habhaic?'

'Na habhaic?'

'Paddy, Danny agus Micí. Tá rud éigin ait á dhéanamh acu sa charbhán. Ceapaim.'

'Cén duine acu a mharaigh Patsy?'

Dhein Saoirse gáire. Lig Máirtín osna arís.

'Ní cúis mhagaidh é, a Shaoirse.'

'Gabh mo leithscéal, a gharda!' a dúirt sí.

Dhein seisean gáire ansin.

'An bastard sin, Ó Muircheartaigh, thug sé rabhadh dom,' a dúirt sé.

'Ó?'

'Dúirt sé liom gan a bheith ag cur isteach ar an iniúchadh. Ní cás é do ghnáthgharda de mo leithéide. Beidh orm an deireadh seachtaine ar fad a chaitheamh ag seiceáil árachais ar an mbóthar ón Daingean go Trá Lí.'

'Ó, Máirtín bocht!' arsa Saoirse. Bhí an méid sin díomá air gur theastaigh uaithi a lámha a chur thart air agus barróg mhór a bhreith air. Ach choimeád sí srian uirthi féin.

'Ní bheidh nóiméad agam chun faic a dhéanamh. Fiú chun féachaint ar na teachtaireachtaí ríomhphoist.'

'Nó chun dul ar ais go Corcaigh,' arsa Saoirse. 'Bhí athair Phatsy ag an tsochraid. Jack McCarthy. Chonaic mé é. Bhí Melissa ag insint bréag nuair a dúirt sí nach raibh a sheoladh aici.'

'B'fhéidir nach raibh,' arsa Máirtín.

'Ah, come on! Bhí sé ansin. Bhí aithne ag gach duine air. Táim cinnte gur choimeád sí rudaí siar uainn.'

'Níl cead agam a bheith ag cur isteach ar chúrsa an chirt,' arsa Máirtín. 'Caithfidh mé *feckin'* árachas a sheiceáil.'

'Bhuel, beidh am saor agat an tseachtain seo chugainn?'

'Ní fheadar. Tá an diabhal sin chun gach bac a chur orm anois. Agus ba chuma liom dá mbeadh aon mhaitheas ann féin. Ach níl. B'fhearr leis ligean don chás seo bás nádúrtha a fháil, mar a lig sé do gach cás eile a bhí idir lámha aige riamh ina shaol.'

'An mbeidh cupán eile caife agat?' arsa Saoirse.

'Beidh, a chailín,' arsa Máirtín.

Phreab croí Shaoirse. A chailín! Leag sé lámh go ceanúil ar a gualainn ar feadh nóiméid. Ní raibh ann ach comhartha cairdis. Bhain sé arís í agus lig osna.

D'imigh Saoirse chun na pónairí a mheilt.

14

Lá geal grianmhar ba ea an chéad lá eile. D'éirigh Saoirse go luath ach bhí bairille nua uisce fágtha lasmuigh den doras ag Seán cheana féin. Líon sí báisíní agus buicéid, agus ghlan an teach. Ansin thiomáin sí go dtí an Daingean.

Bhí uirthi siopadóireacht a dhéanamh sula dtiocfadh a máthair. Dhein sí go tapa í. Thiomáin sí amach go dtí bóthar Thrá Lí. Bhí Máirtín ansin le comhghleacaí éigin. Bhí an comhghleacaí amuigh i lár an bhóthair ag stopadh gluaisteán agus ag breathnú orthu. Scaoil sé ar aghaidh na cinn a bhí in ord. Na cinn nach raibh árachas suas chun dáta acu, scaoil sé chuig Máirtín iad.

Stopadh Saoirse fearacht gach duine eile. Bhreathnaigh an garda ar an bhfuinneog.

'Ceart go leor,' a dúirt sé.

Bhreathnaigh Saoirse ar Mháirtín. Bhí sé ina luí isteach thar fhuinneog sean-Toyota, ag caint leis an tiománaí agus ag scríobh nótaí i leabhar beag.

'Hi!' arsa Saoirse.

Bhí iontas an domhain air í a fheiceáil. Tháinig miongháire mór ar a aghaidh. Tháinig sé anall chuici.

'Hi, is deas tú a fheiceáil chomh luath seo ar maidin. Aon scéal?'

'No. Ní raibh deis agam faic a dhéanamh. Tá mo mháthair ag teacht am ar bith.'

172

'An miste leat rud amháin a dhéanamh? Cuir glaoch ar Melissa agus abair léi go mba mhaith liom cuairt a thabhairt uirthi Dé Luain. Aon am a oireann di. Beidh lá saor agam ansin.'

'OK. Tá an uimhir ghutháin agam.'

'Ar mhaith leatsa teacht arís?'

'Braitheann sé. Feicfimid.'

'Agus táim chun iarracht a dhéanamh dul go Londain chomh luath ina dhiaidh sin agus a bhíonn lá saor eile agam. Nó níos luaithe! Fuair mé seoladh Jack ar maidin.'

'Go hiontach. Conas tá an Cigire?'

'Tá sé ag tógáil deireadh seachtaine fada. Laethanta *in lieu* ag dul dó as an obair bhreise a dhein sé an tseachtain seo. Má fhágann a thóin mhór Ghaelach an stáisiún in aon chor faigheann sé lá *in lieu*, mar a thuigtear domsa é.'

'Níl cothromaíocht ar bith sa saol.'

'Níl. Ach nuair a bhíonn sé ag obair, is ar thóir an ghunna a chaith an t-urchar a bhíonn sé. Tá a fhios agam cá bhfuil an gunna sin, áfach.'

'Yeah, san áit chéanna leis an teileafón póca.'

'Déarfainn é. Ach feicfimid.'

Shéid tiománaí an Toyota adharc an ghluaisteáin.

'Tá na bithiúnaigh ag éirí mífhoighneach!' arsa Máirtín. 'Ar ais go dtí an láir dhubh! Caithfidh mé rothaí an chirt a choimeád ag casadh!'

'Slán más ea. Feicfidh mé thú!'

Tháinig máthair Shaoirse ag am lóin.

'D'fhág mé an chathair ag a sé a chlog ar maidin chun an trácht a sheachaint,' ar sise agus í ag teacht isteach sa teach. Bhí Saoirse ina diaidh, ag iompar na málaí agus na mboscaí a thug sí léi.

Bhí sí sásta leis an teach.

'An-chluthar!' arsa sise. 'Nach mbeadh sé go deas a leithéid a bheith i do sheilbh féin! Ach is dócha go mbeidh ort bogadh amach sara i bhfad anois agus filleadh ar an bhfíorshaol.'

Bhí sé de bhua ag máthair Shaoirse rudaí den saghas sin a rá – rudaí nár theastaigh ó dhaoine smaoineamh orthu ach a bhí cóngarach go leor don fhírinne chun cur isteach orthu go mór.

Bhí a máthair sásta leis an gcarbhán freisin.

'Beidh mé breá compordach anseo!' a dúirt sí. 'D'fhéadfainn cónaí anseo ar feadh mo shaoil. Tá na carbháin seo níos fearr ná a lán de na tithe a thógann siad na laethanta seo.'

Chaith siad an tráthnóna ag tiomáint timpeall ag féachaint ar radhairc stairiúla an cheantair. Na clocháin ar Cheann Sléibhe, Gallaras, na clocha oghaim ag Coláiste Íde, Cuas an Bhodaigh, Cill Maolcéadair. Bhí siad go léir feicthe go minic cheana ag Saoirse agus ag a máthair ach bhí fonn uirthi sin iad a fheiceáil arís, agus ar a laghad chuir sé an tráthnóna isteach.

D'ith siad dinnéar sa Daingean, sa bhialann ba chlúití a bhí ann. Bhí orthu biachlár na gcuairteoirí a thógáil, mar bhí gach rud eile ródhaor fiú amháin do sparán mháthair Shaoirse. Ach bhí an bia go maith, agus thaitin

an timpeallacht go mór le Saoirse – bhí sé cosúil le teach
Philib, i ndáiríre: cluthar, simplí, agus compordach.

Bhí Máirtín fós ar dualgas agus iad ag dul abhaile.

Stop sé iad.

'Breathalyser!' a dúirt sé.

Baineadh geit as Saoirse. B'fhéidir go raibh sé i
ndáiríre.

'Oops! Gosh!' arsa Saoirse. 'D'ól mé fíon.'

'Ní chloisim tada!' arsa Máirtín. 'Ar ghlaoigh tú ar
Melissa McCarthy?'

'Dhein mé dearmad glan é sin a dhéanamh,' arsa
Saoirse. 'Déanfaidh mé an chéad rud ar maidin é.'

'Chuala scéal faoin ngunna,' arsa Máirtín. 'Gunna a
ceannaíodh i Meiriceá a bhí ann, nó ar a laghad is ansin
a ceannaíodh an t-urchar, déanann siad amach.'

'Gosh!' arsa Saoirse.

'Ní chiallaíonn sé faic, ar ndóigh. Déarfainn go bhfuil
a lán gunnaí de dhéantús Mheiriceá thart anseo. Ach
ceapann Ó Muircheartaigh go bhfuil *breakthrough* mór
déanta aige anois.'

'Cuir glaoch orm istoíche amárach,' arsa Saoirse. 'Ó,
dála an scéil, seo mo mháthair. An Garda Ó Flaithearta,
a Mham.'

D'fhág siad slán leis, máthair Shaoirse ag cur na
hargóna i gcion go raibh Saoirse an-mhór leis na gardaí.

Chuaigh sí ag codladh sa charbhán, agus Saoirse go
dtína leaba féin.

Ach i lár na hoíche tháinig a máthair ag cnagadh ar
an doras.

'Ní féidir liom codladh sa rud sin!' a dúirt sí. 'Táim
fuar. Tá sé tais. Agus tá an ghaoth ag cur isteach orm.'

Bhí Saoirse leath ina codladh.

'Tóg mo leaba,' a dúirt sí. 'Rachaidh mise … áit éigin.'

'Ná téir a chodladh sa charbhán sin!' arsa a máthair. 'Gheobhaidh tú niúmóine.'

Ach léim sí féin isteach i leaba Shaoirse.

Chuaigh Saoirse amach go dtí an carbhán agus luigh síos sa leaba bheag a bhí cóirithe aici dá máthair. B'fhíor go raibh an ghaoth le cloisteáil ag séideadh timpeall na gcúinní agus ag bualadh i gcoinne na mballaí. Ach taobh amuigh de sin bhí sí compordach go leor. Agus níorbh fhada gur thit a codladh uirthi.

Dhúisigh sí ag a naoi a chlog nó mar sin ar maidin. Bhí an ghrian ag taitneamh, an spéir gorm, an fharraige ciúin, agus cuma ar an ngleann gur cruthaíodh é an mhaidin sin. Chuir sé gliondar ar chroí Shaoirse a bheith beo maidin mar seo.

Agus í ag siúl trasna go dtí an teach thug sí faoi deara go raibh bun toitín ina luí san fhéar lasmuigh den charbhán.

Ní raibh an bun toitín sin ann arú inné, nuair a bhí sí ag cóiriú na leapa dá máthair.

Na habhaic. Nó duine éigin eile?

Chuir an bun toitín i gcuimhne di gur cheart glaoch ar Melissa. Rud a dhein sí níos déanaí – níor éirigh a máthair go dtí a deich a chlog.

Ní bhfuair sí ach guth Melissa ar inneall freagartha. D'fhág sí teachtaireacht ag iarraidh uirthi glaoch ar ais a luaithe agus a bheadh seans aici.

Fuair sí glaoch ó Mhéiní, ag tabhairt cuireadh di féin agus dá máthair chun dinnéir an tráthnóna sin. Ghlac Saoirse go fonnmhar leis an gcuireadh.

Chaith siad an lá ag dul timpeall go dtí na siopaí: bhí fonn ar a máthair earraí áille áitiúla a cheannach. Seaicéad nó culaith nó gúna a bhí sí ag iarraidh, nó rud éigin déanta as bréidín a dearadh ar shlí a bhí cruthaitheach agus traidisiúnta agus nua-aimseartha, agus a d'oirfeadh di.

'Beidh a fhios agam cad tá uaim nuair a fheicfidh mé é,' a dúirt sí.

Thug siad cuairt ar leathdhosaen siopaí – ceardlanna agus siopaí éadaigh, seodóirí a dhíol éadaí chomh maith le seoda, potairí a dhíol bréidín chomh maith le potaí, bialanna a dhíol geansaithe chomh maith le béilí. Bhí roinnt mhaith earraí le feiceáil agus le triail.

'Tá rud éigin ait ag baint leo ar fad,' a ghearán máthair Shaoirse agus an deichiú seaicéad beag gairid á thriail aici. 'Tá siad róghairid, agus déanta ar chuma bosca, nach bhfuil?'

Bhí an ceart aici. Bhí an bréidín féin go deas, den chuid is mó de. Ach bhí na seaicéid agus na sciortaí gearrtha i slí a chuir cuma ramhar agus míchompordach ar dhaoine. Go háirithe an té a bhí beagáinín ramhar agus míchompordach cheana féin.

'Níl aon *flow* ag baint leo,' arsa a máthair. 'Ach a mhalairt. Tá siad …'

'*Hick*, sin an focal,' arsa Saoirse go smaointeach.

'*Hick*? Ó, níl siad!'

Ghlaoigh Saoirse ar Melissa arís tráthnóna nuair a chuaigh siad abhaile. D'fhág sí teachtaireacht eile di agus ansin chuir glaoch ar Mháirtín le hinsint dó nár éirigh léi teagmháil a dhéanamh le Corcaigh.

'Lean ort ag glaoch orthu,' arsa Máirtín. 'Táim fós ar thaobh an bhóthair. Agus beidh an lá ar fad amárach freisin. Ach ansin beidh dhá lá saor agam le dul go Londain. Coimeád an Mháirt saor!'

'B'iontach chomh tapa agus a shleamhnaigh an t-am thart,' a dúirt máthair Shaoirse, agus í ag iarraidh í féin a ní i mbáisín i seomra Shaoirse. 'Ar ndóigh tógann sé dhá oiread ama gach rud a dhéanamh nuair nach mbíonn uisce reatha agat sa teach. Nó trí oiread.'

Chuimil sí a haghaidh le tuáille agus thosaigh á smideadh féin. Bhí sí tar éis rud éigin a cheannach i ndeireadh na dála i siopa beag lasmuigh de Bhaile an Rabbitéaraigh. Seaicéad éadrom bréidín. Dath corcra a bhí air agus nuair a bhí blús bán faoi, bhí sé go hálainn.

'Breathnaíonn tú go hálainn!' arsa Saoirse. 'Cosúil le grianghraf ar chlúdach *Cara Magazine* nó a leithéid!'

Bhí Saoirse gléasta i bhfeisteas dubh: gúna beag agus seaicéad beag, stocaí dubha agus sála arda. *Outfit* a bhíodh aici i mBarra an Teampaill.

'Breathnaíonn tusa cosúil le rud éigin ar chlúdach ...' Dhein sí smaoineamh, ag iarraidh teacht ar rud éigin cuí. '*Hello Magazine*,' a dúirt sí, tar éis tamaillín. Agus tar éis tamaillín eile. 'Nó na cúl-leathanaigh in *Image Magazine*. Saoirse and Rita Gallagher at Isabel Smurfit's twenty-first birthday party.'

Bhí Méiní agus Seán ag feitheamh orthu, an bheirt acu sin gléasta suas freisin. Bhí blús fada síoda, ar dhath oráiste, ar Mhéiní, agus, mar is gnách, a lán seod ag crochadh óna cluasa agus thart faoina muineál. Bhí léine bhán ar Sheán, a ghnáthbhríste corda agus veist ar dhath na heorna. Bhreathnaigh sé go hiontach.

'Deoch! Cad a bheidh agaibh?' arsa Méiní.

G&T a bhí acu, an deoch ab ansa le máthair Shaoirse.

'Ní raibh mé riamh sa seomra seo!' arsa Saoirse. Seomra fíorálainn ba ea é. Cistin ollmhór, bord fada adhmaid ina lár, tine mhór oscailte ag an mbinn agus cathaoireacha uilleann timpeall uirthi. Pictiúir dheasa ar an mballa. Bhí dathanna boga deasa ar na doirse.

'Bhaineamar úsáid as péint a deineadh sa tseanslí. Níl luaidhe ar bith ann. Agus tá na dathanna níos boige ná mar a bhíonn siad de ghnáth anois,' arsa Méiní.

Shuigh Seán in aice le máthair Shaoirse agus cheistigh í faoina saol, faoina tuairim de Dhún Dearg, faoi chúrsaí polaitíochta, agus uile. Líon sé a gloine chomh luath agus a bhí sé folamh – rud a tharla go tapa. Bhí loinnir ag teacht i súile a máthar. B'iontach an bua a bhí ag Seán maidir leis na mná.

Níorbh fhada gur tháinig Jessica agus Jason. Ní raibh aon choinne ag Saoirse go mbeidís ann in aon chor ach bhí áthas uirthi iad a fheiceáil arís. Bhí cuma thuirseach ar Jessica ach bhí an chuma ar Jason go raibh sé ceart go leor.

Thug Jessica barróg mór do Shaoirse.

'Hi, hi, hi, hi!' a dúirt sí.

Bhí a fhios ag Saoirse go mba mhaith léi caint faoi Phatsy, ach ar chúis éigin bhí leisce ar gach duine í a lua.

Dhein siad sin, áfach, nuair a bhí an dinnéar á ithe acu. Dinnéar iontach a bhí ullmhaithe ag Méiní: gliomach *thermidor*. Níor bhlais Saoirse riamh cheana é agus cheap sí nár ith sí aon rud chomh maith leis riamh.

'Bhí tú ag an tsochraid, a chuala mé,' arsa Jessica.

Dhein Saoirse cur síos gairid ar an tsochraid. Agus mhínigh Seán don chomhluadar go mbeadh seirbhís chuimhneacháin sa pharóiste sara i bhfad.

'Agus bhfuil aon tuairim acu cé a dhein é?' arsa máthair Shaoirse.

'Níl,' arsa Méiní. 'Is dócha go bhfuil sé i bhfad ó bhaile anois, cibé ar bith cé hé féin.'

'Déarfainn go bhfuil an ceart agat,' arsa Jessica.

'Chualamar gur aimsíodar an gunna,' arsa Seán. 'Agus gur gunna Meiriceánach ba ea é.'

Chuir sé ionadh ar Shaoirse go raibh an t-eolas sin aige.

'Cár aimsíodar é?'

'Caite isteach sa phortach,' arsa Seán. 'Ach ní raibh aon mhéarlorg air. Tá siad á scrúdú i gcomhair DNA.'

'Go maith. B'fhéidir go mbeidh an dúnmharfóir acu sara i bhfad,' arsa máthair Shaoirse. 'Is uafásach an rud é go bhfuil a leithéid ag gabháil timpeall. Bhí eagla an domhain orm codladh sa charbhán sin aréir.'

'Fuaireamar eochair an charbháin,' arsa Saoirse, 'dála an scéil.'

'Ó, sea, mise a d'fhág istigh agat í,' arsa Méiní. 'Dúirt Pilib liom cá raibh sí — bhí sí anseo sa phub, agus ní sa teach agatsa.'

'Right!' arsa Saoirse. 'Bhuel, tá gach rud go breá anois pé scéal é.'

'Ach amháin go mbeadh eagla orm codladh sa rud sin agus *serial killer* ag gabháil na mbóithre,' arsa a máthair. 'Cén saghas cailín ba ea Patsy pé scéal é? An raibh naimhde aici? An raibh sí ... tá a fhios agat ...?'

Bhí ciúnas ag an mbord.

'Bhí sí go deas,' arsa Jessica. 'An-dathúil ar fad. Bhíodh na fir an-tógtha léi.'

D'fhéach sí ar Jason. Bhí sé ag stánadh ar phictiúr de mhadra a bhí díreach ar a aghaidh amach.

'Bhí sí dathúil,' arsa Méiní. 'Agus saghas … sea …'

'Gnéasach,' arsa Seán. 'Sea. Abair é. Tá sé fíor.'

'Bhí buanna speisialta aici,' arsa Jason, ag labhairt den chead uair. 'Bhí sí go hálainn, agus tarraingteach. Agus bhí sí éirimiúil as an ngnáth. Níor thuig mé riamh cad a bhí á dhéanamh aici ag útamáil leis na potaí sin. Ba cheart di a bheith ina hollamh ar ollscoil mór le rá éigin. Nó ina hiriseoir tábhachtach, nó ar an teilifís ag insint dúinn cad ba cheart dúinn a cheapadh faoina bhfuil ag tarlú sa domhan.'

'Ach chun freagra a thabhairt ort,' arsa Jessica, ag féachaint ar mháthair Shaoirse, 'bhí sí ró-údarásach ar fad agus chuir sí isteach ar a lán daoine. Bhíodh sí de shíor ag déanamh agóide in aghaidh iarratais phleanála agus gach aon rud eile. Déarfainn go raibh roinnt mhaith fear gnó sa cheantar a bhí an-sásta ar fad a cúl a fheiceáil.'

'Tá a lán daoine faoi amhras mar sin,' arsa a máthair, ag ól a cuid fíona agus ag gáire.

'Fíor dhuit,' arsa Jason.

D'fhág máthair Shaoirse luath go leor maidin Dé Domhnaigh, agus í ag geallúint go dtiocfadh sí arís sara i bhfad. Bhí Saoirse idir dhá chomhairle faoi athchuairt. Chuir sé ionadh uirthi gur éirigh chomh maith leis an deireadh seachtaine seo. Ní raibh aon tsúil aici go mbainfeadh sí an taitneamh ba lú as. Ach i ndáiríre bhí uirthi a admháil gur chomhluadar maith ba ea a máthair. Mar sin féin, ní raibh sí ag iarraidh cuairt eile uaithi go luath.

Chomh luath agus a d'imigh a máthair, chuaigh sí go dtí an teileafón. Ní raibh aon fhreagra faighte aici ó Melissa McCarthy. Ghlaoigh sí uirthi uair amháin eile.

D'fhreagair Charlie Brown an guthán.

'Hello,' arsa Saoirse. 'Saoirse Ní Ghallchóir anseo. Bhfuil Melissa McCarthy istigh?'

Bhí sos gairid ann. Ansin dúirt sé:

'Tá Melissa marbh.'

15

'Ailse! Ar ndóigh!' arsa Máirtín. 'Sin an fáth a raibh sí chomh tanaí sin.'

'Bhuel, bíonn a lán daoine tanaí,' arsa Saoirse.

'Ach an dath sin ar a leicne. An ghruaig. Bhí sé soiléir go raibh sí tinn. Bhí sé de cheart agam é sin a thabhairt faoi deara.'

'Is dócha go raibh,' a d'aontaigh Saoirse leis. 'Ach nach ait nár dhúirt ceachtar acu faic faoi sin?'

'Tá sé ait,' a d'aontaigh Máirtín léi. 'An-ait.'

'Agus anois is dócha gur Charlie a fhaigheann a heastát? A cuid airgid ar fad?'

Chuir Máirtín grainc ina éadan.

'Seans maith. Ar ndóigh, ní féidir a bheith cinnte de sin. Déanfaidh mé é a fhiosrú.'

Bhí sé in éineacht le Saoirse, i gcaife sa Daingean, ag tógáil briseadh óna chuid dualgas ar an mbóthar. Bhí a lán cuairteoirí thart. Bhí siad ag siúl timpeall an bhaile, ag breathnú isteach sna siopaí, ag ól sna tithe tábhairne. Ag ól caife agus ag ithe cáca milis sna caifí. Agus bhí siad ag tiomáint isteach agus amach, isteach agus amach, as an mbaile. Bhí Máirtín traochta ó bheith ag déileáil leo.

'Rachaimid go Londain amárach, ós rud é nach fiú dul go Corcaigh anois,' ar seisean. 'Teastaíonn uaim labhairt le Jack McCarthy chomh luath agus is féidir.'

Bhí dhá thicéad curtha in áirithe aige cheana féin, de réir dealraimh, agus ní raibh deacracht ar bith aige iad a athrú ón Máirt go dtí an Luan. Ón aerfort áitiúil san Fhearann Fuar a rachaidís, go moch ar maidin.

'Bhí seans agam féachaint ar na teachtaireachtaí ríomhphoist aréir nuair a chuaigh mé abhaile,' a dúirt Máirtín. 'Bhí an-chuid teagmhála aici le Pilib File. Agus níor bhain sé go léir le cúrsaí gnó.'

Chuir sé iontas ar Shaoirse é seo a chloisteáil.

'Bhí gaol pearsanta eatarthu freisin,' arsa Máirtín. 'Tá roinnt litreacha a thugann sin le fios go soiléir – litreacha a sheol seisean chuici as Meiriceá.'

'Gosh! Bhí a fhios agam – nó cheap mé – go raibh rud éigin ar siúl idir ise agus Jason. Ach níor luaigh éinne liom go raibh sí mór le Pilib. Ní dóigh liom gur luaigh sí féin in aon chor é.'

'Cén fáth a ndéanfadh?'

'Bhuel, bheadh sé nádúrtha, nach mbeadh, ós rud é go raibh mé i mo chónaí ina theach?'

Dhein sé méanfach agus d'éirigh ina sheasamh.

'Slán go fóill! Ar ais go dtí an bhearna bhaoil. Cífidh mé amárach thú. Baileoidh mé thú ag leathuair tar éis a cúig, OK?'

'OK,' arsa Saoirse.

An tráthnóna sin, dhein sí mionscrúdú ar an gcarbhán, féachaint an raibh rian de rud ar bith ann a thabharfadh leid di cad a bhí ar siúl ann, nó cad a bhí faoi ghlas sa seomra dúnta. Ach níor tháinig sí ar rud ar bith.

Chaith sí an tráthnóna ag péinteáil. D'éirigh léi pictiúr amháin a chríochnú, rud a thug misneach di. Ní raibh go leor oibre á dhéanamh aici na laethanta seo, agus bhí an t-am ag sleamhnú thart. Bheadh uirthi éirí as an mbleachtaireacht dá mbeadh sí le tairbhe a bhaint as an tréimhse i nDún Dearg. Ach bhí sé deacair diúltú do Mháirtín. Ní bhíodh sé ag súil le freagra diúltach riamh. Bhí sé cosúil le páiste a bhí lán de mhuinín as an saol. Agus ag an am céanna bhí sé saghas truamhéalach, toisc an aighnis idir é féin agus an Cigire Ó Muircheartaigh. Bhí sé ag snámh in aghaidh an tsrutha. Daoine a chuaigh ag snámh in aghaidh an tsrutha, bhídís tarraingteach i gcónaí.

Bheartaigh Saoirse dul a chodladh go luath. Bhí sí tuirseach tar éis an deireadh seachtaine. Chuir an bia saibhir agus an fíon go léir isteach ar a corp ar bhealach éigin. Agus anuas air sin bheadh uirthi éirí ag a cúig a chlog ar maidin. Sara ndeachaigh sí a chodladh, áfach, ghlaoigh sí ar Mhéiní, agus d'iarr cead dul síos go dtína teach chun folcadh a bheith aici. Bhí fonn mór uirthi sin a dhéanamh agus ní raibh folcadh ceart aici le breis agus coicís. Bhí Méiní sa teach tábhairne ach d'fháiltigh sí roimh Shaoirse agus dúirt léi go raibh doras an tí ar oscailt, nár ghá ach dul díreach ar aghaidh go dtí an seomra folctha.

Thiomáin Saoirse síos. Bhí sé dorcha, agus fuar a dhóthain, ag an am seo d'oíche, cé go raibh an clog tar éis athrú agus na laethanta ag éirí breá fada. Ghlac sí folcadh sa seomra folctha galánta a bhí ag Méiní. Agus í ag filleadh ar an gcarr, gan uirthi ach a gúna oíche faoina cóta, agus buataisí ar a cosa nochta, bhuail sí le Seán.

'Saoirse!' a dúirt sé. Bhain sé geit as bualadh léi, ní nach ionadh, b'fhéidir.

'Oh, gosh!' arsa Saoirse. 'Bhí folcadh agam. Dúirt Méiní liom go raibh sé ceart go leor.'

'Am ar bith,' arsa Seán. 'An nglacfá cupán tae, ós rud é go bhfuil tú anseo?'

Bhí leisce ar Shaoirse a bheith drochmhúinte. Ach dhiúltaigh sí don tae, ag rá go raibh an-tuirse uirthi tar éis na hoíche aréir.

'Ceart go leor. Buailfidh mé síos chugat maidin amárach. Bhí mé ag caint le Mossy Fitz inniu i ndiaidh an Aifrinn agus ceapaim go mbeidh réiteach aige ar fhadhb an uisce.'

'Right,' arsa Saoirse cé nach raibh dóchas ar bith aici go mbeadh uisce riamh aici. 'Bheadh sé sin go hiontach. Ach ní bheidh mé ansin maidin amárach.'

'Tráthnóna?'

'Nó tráthnóna amárach. Nó fiú amháin oíche amárach. Tá … rud éigin le déanamh agam.'

Bhí amhras le feiceáil i súile Sheáin.

'Is trua sin. Lá éigin eile, más ea.'

'Sea,' arsa Saoirse. 'Bhuel, go raibh maith agat. Oíche mhaith anois.'

Thosaigh sí ag dul i dtreo an dorais.

'A Shaoirse,' arsa Seán. Bhí rud éigin ina ghlór a chuir eagla uirthi. 'A Shaoirse, ní ceart duit a bheith ag útamáil leis an ngarda sin. Ó Flaithearta.'

Stad Saoirse. Ní raibh sí ag súil leis sin.

'Níl sé de ceart ag an ngarda sin a bheith ag déileáil le cás Phatsy in aon chor. Fear ceanndána is ea é.' Bhí sos tamaillín sarar dhúirt sé: 'Amadán is ea é.'

Chas Saoirse agus d'fhéach air. Bhí sé ina sheasamh i leathdhorchadas an halla, ina luí i gcoinne dhoras na cistine. Bhí an chuma air go raibh sé an-dáiríre.

'Amadán?' a dúirt sí. 'Cén fáth a ndeir tú sin? Bhfuil aithne agat air?'

'Níl, buíochas le Dia. Ach tháinig sé thart anseo, do mo cheistiú, lá nó dhó ó shin. Chuir mé glaoch ar chara liom san fhórsa agus insíodh dom nach raibh sé de chead ag an nGarda Ó Flaithearta mise, nó duine ar bith eile, a cheistiú. Tá sé as ord. As ord. Agus ní fada a bheidh post aige mura mbeidh sé cúramach.'

Bhreathnaigh Saoirse air agus dúirt i nguth fuar.

'Go raibh maith agat, a Sheáin. Cuimhneoidh mé air sin.'

Chas sí chun imeacht arís. Leag sé lámh ar a gualainn.

'Ar do shon féin atáim á rá leat, a chailín. Fan amach ón leaid sin. Tá na cúrsaí seo casta agus tá siad dainséarach. Agus tá bean amháin ina luí marbh in uaigh anois! Bí cúramach!'

'Oíche mhaith,' arsa Saoirse.

D'imigh sí léi ansin, gan focal eile a rá leis.

Bhí sí ar crith le heagla agus le míshuaimhneas nuair a shroich sí an teach. Chuir sí an doras faoi ghlas agus dhein cinnte de go raibh na fuinneoga go léir dúnta freisin. Ach is beag codladh a fuair sí an oíche sin.

'Na bac leis,' arsa Máirtín.

'Bhí sé ag bagairt orm,' arsa Saoirse, 'pé rud atá taobh thiar de.'

'Sea. Spéisiúil,' arsa Máirtín. 'Ach tá leigheas air.'

'Cad é sin?'

'Dein an rud a deir sé leat.'

Níor thug Saoirse aon fhreagra air sin. Bhreathnaigh sí amach trí fhuinneog an charr. Bhí páirceanna glasa ar dhá thaobh an bhóthair, sabhaircíní sna díoga, dath éadrom lonrach ar na crainn a bhí díreach ar tí duilleoga úra a chur amach. I roinnt de na páirceanna bhí uain le feiceáil. Bhí an t-earrach in ard a réime.

Níorbh fhada go mbeadh an Cháisc tagtha, agus ina dhiaidh sin thiocfadh an Meitheamh agus an samhradh. D'fhillfeadh Pilib File ar Dhún Dearg agus bheadh sé in am do Shaoirse a cuid málaí a phacáil agus filleadh ar Bhaile Átha Cliath, ar theach a máthar i gCluain Sceach, ar phost nua éigin i mBarra an Teampaill nó i mBarra Rud Éigin Eile. An DART maidin is tráthnóna is béile sa bhialann is nua gach Satharn, i measc daoine nach raibh spéis acu, i ndáiríre, ach i morgáistí agus i bpraghas na dtithe, in imeachtaí an European Cup nó an World Cup nó an FAI Cup, nó san fhocal is déanaí as leathanaigh ealaíne The Irish Times. In ionad a bheith i nDún Dearg, áit a raibh rudaí suimiúla, rónta agus muca mara agus ceol traidisiúnta, dúnmharú agus iompórtáil drugaí, agus ionad leighis is cultúir.

Bhí an ceart ag Máirtín. Bhí sé in am di díriú ar a cuid oibre féin agus cúl a thabhairt don amadántacht.

Ach ní raibh am aici smaoineamh air sin anois. Bhí siad ag teacht isteach san aerfort. Níorbh fhada go raibh a gcuid ticéad seiceáilte. Ansin chaith siad leathuair an chloig ag ól caife, i measc an tslua bhig chodlataigh a bhí bailithe sa seomra feithimh. Shiúil siad amach ar an tarra ina dhiaidh sin, agus chuaigh ar bord an eitleáin –

gnáth-147, bhí áthas ar Shaoirse a fheiceáil. Bhí eagla uirthi gur eitleán beag a bheadh ann.

Thuirling siad in Heathrow. Ní raibh i gceist ansin ach traein amháin go lár na cathrach, athrú go líne eile, agus traein eile a thógáil a d'fhág iad ag stáisiún Palmer's Green.

Bhí Saoirse i Londain go minic cheana. Mar sin féin, chuir méid na cathrach, agus líon na ndaoine inti, iontas uirthi anois mar a dhein i gcónaí. Tar éis a bheith faoin tuath, chuir an torann agus an brú brón uirthi, seachas aon rud eile. An bhféadfadh duine maireachtáil go nádúrtha mar seo? Ach de réir dealraimh bhí sé de nós ag gach dream agus ag gach cine bailte móra a thógáil. Bhí dúil éigin sa duine a bheith in éineacht le sluaite móra, agus maireachtáil ar nós na mbeach i gcoirceog nó ar nós na seangán i nead.

Bhí Máirtín an-sásta gur éirigh leo na *tube*anna cearta a fháil gan stró ar bith.

'Tá sé éifeachtach mar chóras, nach bhfuil?' a dúirt sé níos mó ná uair amháin, ag maíomh as a éifeachtúlacht féin.

Ach ní raibh sé chomh héifeachtach agus é ag iarraidh teacht ar theach Jack McCarthy. Bhí léarscáil aige ach chuaigh siad ar strae mar sin féin.

'Fiafraigh de dhuine éigin!' arsa Saoirse.

'No, no. Ba ceart go mbeinn in ann é a dhéanamh amach ón léarscáil,' arsa Máirtín. Bhreathnaigh sé ar an leathanach, agus in airde sa spéir: lá tirim a bhí ann i Londain agus bhí an ghrian le feiceáil.

'Tá an ghrian ansin, agus tá sé anois leathuair tar éis a dó dhéag.'

'Drat!' a dúirt Saoirse léi féin. Ní bheadh am acu breathnú ar na siopaí. Bhí sí ag tnúth le sracfhéachaint a thabhairt ar Shráid Oxford, anois ó bhí sí i Londain. 'Ciallaíonn sé sin gur sin an deisceart agus sin an tuaisceart. Sin an t-iarthar, sin an t-oirthear. Ba ceart dúinn a bheith ag siúl sa treo sin, ó thuaidh.' Thosaigh siad ag siúl ar bhóthar fada. Bruachbhaile ba ea Palmer's Green a bhí cosúil le Droim Conrach, ach, mar aon le gach bruachbhaile i Londain dá bhfaca Saoirse riamh, é a bheith i bhfad níos mó ná aon bhruachbhaile in Éirinn.

'Ba ceart go mbeadh Dingwall Drive ansin,' arsa Máirtín.

Ach ní raibh. Faoi dheireadh chuir siad ceist ar sheanfhear a bhí gléasta i gcóta fada dubh. Bhí siad ar an taobh mícheart den stáisiún, ar an taobh mícheart de lár na cathrach, agus bhí orthu siúl ar ais, míle slí nó mar sin, sa treo inar tháinig siad, go dtí gur aimsigh siad Dingwall Drive agus an teach ina raibh Jack McCarthy ina chónaí.

'Ní thuigim conas a chuamar ar strae,' arsa Máirtín. 'Sin an tuaisceart, dar liom.'

'Is cuma,' arsa Saoirse. 'Táimid ann anois pé scéal é.'

Ní raibh teach Jack McCarthy ar aon mhéid leis an teach a bhí ag Melissa i gCorcaigh in aon chor. Bhí sé mór go leor, agus compordach go leor, ach ba ghnáth-theach é. Mheas Saoirse gur teach ceithre sheomra leapa ba ea é, gairdíní beaga ar a aghaidh amach agus ar a chúl. Níorbh fhear saibhir é Jack, de réir dealraimh.

É féin a d'fhreagair an doras. D'aithin Saoirse láithreach é, ón uair a chonaic sí ag an tsochraid é, fear ard tanaí agus cuma saghas brónach ar a aghaidh. Ní raibh aon seaicéad air, ach é i muinchillí a léine, rud a chuir cuma leochaileach air.

Bhí sé muinteartha agus cairdiúil, áfach, agus bhraith siad go raibh áthas air iad a fheiceáil.

'Tá sibh tagtha ón aerfort?' a d'fhiafraigh sé. 'An mbeidh greim le hithe agaibh? Caithfidh gur thosaigh sibh go moch ar maidin.'

'Luath go leor,' arsa Saoirse. Ní raibh faic ite acu ón uair a bhí rolla aráin acu ar an eitleán.

'Ná cuir trioblóid ar bith ort féin,' arsa Máirtín. 'Ach bheadh cupán tae go deas, ceart go leor.'

Thug sé isteach sa chistin iad. Cistin nua-aimseartha ba ea í, gan aon rud neamhghnách ná iontach inti. Shuigh siad ag bord beag adhmaid taobh le doras gloine a thug radharc dóibh ar ghairdín beag. Bhí an chuma ar an ngairdín gur thug duine éigin aire mhaith dó. Bhí sé beag ach bhí sé leagtha amach go healaíonta. Bhí *patio* in aice an tí, toir i bpotaí móra *terracotta*, agus fiú amháin lochán beag ina lár. Bhí sé lán de lusanna an chromchinn i láthair na huaire. Bhí siad níos luaithe anseo ná mar a bhí i nDún Dearg.

D'ullmhaigh sé caife agus tae agus leag arán agus cáis agus ológa ar an mbord.

Fad is a bhí seo á dhéanamh aige, d'fhreagair sé na ceisteanna a bhí ag Máirtín air.

Dúirt sé gur phós sé Melissa i 1968. Bhí siad sa rang céanna san ollscoil, i mBaile Átha Cliath, ag déanamh staidéir ar an leigheas. Phós siad díreach i ndiaidh dóibh an chéim a bhaint amach. Ba as Corcaigh don bheirt acu. Chaith siad dhá bhliain ag obair in ospidéal i mBaile Átha Cliath. Ansin rugadh Patsy. Tamaillín ina dhiaidh sin, cheannaigh siad teach i gCorcaigh agus d'fhill siad ar a gcathair dhúchais le cleachtadh mar dhochtúirí.

'Chabhraigh tuismitheoirí Melissa linn an áit a cheannach,' arsa Jack.

'Bhíodar go maith as?' a d'fhiafraigh Máirtín.

'Bhí,' arsa Jack. 'Fear saibhir ba ea a hathair. Ba leis ceann de na siopaí ba mhó sa chathair ag an am sin. Agus bhí méar aige ina lán gnónna eile.'

'Tuigim,' arsa Máirtín. 'Agus arbh í Melissa an t-aon pháiste a bhí aige?'

Dhein Jack gáire beag.

'Níorbh í. Bhí deichniúr sa chlann aige.'

Chuir an t-eolas seo díomá ar Mháirtín.

'So ... ní raibh sí ina hoidhre ar a shaibhreas iomlán?'

'Níor mhilliúnaí í,' arsa Jack, 'ach bhí a lán rachmais aige le dáileadh orthu go léir. Bhíodh Melissa i gcónaí go maith as.'

Tar éis dóibh cur fúthu i gCorcaigh, sa teach inar chónaigh Melissa go dtí lá a báis, bhí Jack ag obair mar GP agus Melissa ag obair san ospidéal; dhein sí traenáil bhreise agus cáilíodh mar chnáimhseoir í. Thug sraith feighlithe aire do Phatsy. Bhí Patsy cliste agus sona. Chuaigh sí ar scoil phríobháideach. Ach bhí sé ag éirí soiléir nach raibh gach rud mar ba chóir idir Melissa agus Jack.

'Níl mórán le rá agam faoi na cúrsaí sin,' arsa Jack. 'Ach nuair a bhí Patsy seacht mbliana d'aois, bheartaíomar scaradh óna chéile.'

'Ar scaradh cairdiúil é?' a d'fhiafraigh Máirtín dó.

'An bhfuil a leithéid de rud ann?' arsa Jack. Bhreathnaigh sé amach tríd an bhfuinneog ar feadh soicind, ansin scaoil sé leis an bhfírinne.

'Bhí sé an-deacair, mar scaradh,' a dúirt sé. 'Ní raibh mise ag iarraidh glacadh leis an bhfírinne. Níor theastaigh uaim imeacht. Bhí mé i ngrá le Melissa, nó shíl mé go raibh.'

'Cén fáth ar scar sibh?' a d'fhiafraigh Máirtín de.

Chuir sé náire ar Shaoirse go mbeadh sé chomh dúr sin.

'Ní raibh sise i ngrá liomsa, ach le duine éigin eile.'

'Tuigim,' arsa Máirtín. 'Charlie Brown?'

'Ní hea. Fear eile, dochtúir a bhí mar chomhghleacaí aici san ospidéal.'

'An cuimhin leat a ainm?'

'Chomh maith agus is cuimhin liom m'ainm féin,' arsa Jack. 'Michael Coleman. Ar aon nós, bhí ormsa Corcaigh a fhágáil agus an fód a fhágáil faoi. Fuair Melissa cead Patsy a choimeád, ar ndóigh. Tháinig mise anall anseo agus tar éis tamaill de bhlianta bhuail mé le Carol, mo bhean chéile. Scar Melissa agus Coleman luath go leor.'

'Céard faoi Phatsy?'

'Patsy. Chonaic mé í, b'fhéidir, uair sa bhliain. Thagadh sí ar saoire chugam sa samhradh. Théimis ar thurais le chéile – ag campáil, thar lear go dtí an Fhrainc, go hAlbain, chun na hIodáile. Coicís a bhíodh againn in aghaidh na bliana. D'fhás sí aníos ina cailín breá. Bhí sí éirimiúil dathúil, go hálainn ar gach bealach. Ansin nuair a bhí sí in aois a dó dhéag cuireadh ar scoil i mBaile

Átha Cliath í. Níor thaitin an scoil léi ach chuir sí suas
leis. Bhí Melissa ina cónaí le fear eile faoin am seo.
Séamas Ó Briain, is dóigh liom, an t-ainm a bhí air.'

'Cén t-ainm?' arsa Saoirse.

'Séamas Ó Briain, is dóigh liom. Nílim cinnte'

'Cén tslí bheatha a bhí aige?'

'Dochtúir leighis,' arsa Jack.

'Bhuel. Lean ort.'

Tháinig athrú ar ghnúis Jack McCarthy.

'Is deacair dom an chuid eile den scéal a insint. Ach
inseoidh mé é ar mhaithe le Patsy.'

Níor dhúirt Máirtín nó Saoirse focal, ach lig dó a am
a ghlacadh. Thóg sé sos beag, ansin lean leis.

'Nuair a bhí Patsy sé bliana déag, chuir Séamas
Ó Briain isteach uirthi.'

'Éigniú?' arsa Máirtín.

'Rud éigin cosúil leis,' arsa Jack, go brónach. 'Ní
thugtaí aon aitheantas do choireanna den saghas sin ag
an am. Ní dóigh liom gur thuig Patsy cad a tharla. Is é
sin, ní dóigh liom gur thuig sí gur choir a bhí ann agus
go mba cheart an dlí a chur air.'

'Ach d'inis sí duitse faoi?' arsa Saoirse.

'Níor inis,' arsa Jack, 'go ceann i bhfad ina dhiaidh.
Go dtí dhá bhliain ó shin, nuair a bhí sí ar a bealach ar
ais go hÉirinn tar éis a bheith san India. Thug mé faoi
deara ag an am go raibh athrú tagtha uirthi, athrú mór.
Ach thug mé neamhaird air. Shíl mé nach raibh ann ach
rud éigin a bhain lena haois – le bheith ag fás aníos. Ach
ina dhiaidh sin bhí sí ciúin, ise a bhíodh gealgháireach
agus spreagúil i gcónaí.'

Bhí sí spreagúil agus gealgháireach arís nuair a bhí aithne agamsa uirthi, a dúirt Saoirse léi féin. Ach níor dhúirt sí rud ar bith amach os ard.

'Agus cad mar gheall ar an scolaíocht?' arsa Máirtín.

'Dhein sí an ardteist agus fuair marcanna arda – níor tháinig aon athrú ar a hábaltacht acadúil. Chuaigh sí ar Choláiste na Tríonóide agus dhein staidéar ar an dlí. Bhain sí amach máistreacht ann agus chaith sí bliain ina dhiaidh sin ag gabháil don *Bar*.'

'Agus bhí sí i dteagmháil leat an t-am ar fad?'

'Ní raibh. D'éiríomar as dul ar laethanta saoire in éineacht le chéile tar éis don rud sin tarlú di. Thagadh sí anois is arís – bhíodh suim aici i Londain pé scéal é. Bhí suim aici i gcúrsaí faisin, agus san amharclann agus, ar ndóigh, sna gailearaithe agus sna taispeántais ealaíne.'

'Conas mar a réitigh sí le do bhean chéile?'

'Ceart go leor. Ní raibh aon chairdeas iontach eatarthu riamh, ach bhí siad sibhialta lena chéile. Cairdiúil a ndóthain. Chuaigh siad ag siopadóireacht i gcuideachta a chéile anois is arís. Agus bhí an-chion aici ar mo mhac. Tá mac agamsa agus ag Carol.'

'Right,' arsa Máirtín. 'Cén aois é sin?'

'Deich mbliana,' arsa Jack. 'Tá sé ar scoil anois.'

'Agus Carol?'

'Tá sí ag obair. Tá post aici in óstán i lár na cathrach. The Connaught, actually.'

'Right, "The Connaught". As in "Cúige Chonnacht"?'

Cheap Saoirse arís go raibh Máirtín beagáinín aineolach. Ach de réir dealraimh ghlac Jack leis gur cheist nádúrtha ba ea é.

'Sea,' a dúirt sé. 'Seanóstán cáiliúil is ea é. Oibríonn sí mar rúnaí ann.'

'Go maith,' arsa Máirtín.

Líon Jack isteach beathaisnéis Phatsy go tapa ansin. Bhí a thuairisc sé ag teacht leis an méid a bhí cloiste acu cheana ó Melissa. D'éirigh sí as an dlí, chuaigh ag taisteal, chaith blianta san India, dhein traenáil mar photaire, tháinig abhaile, chuir fúithi sa Daingean.

'An raibh aon rud i saol Phatsy a thug le fios go raibh sí i ndainséar?' arsa Máirtín, nuair a bhí an scéal ar fad inste ag Jack. 'Ar bhraith tú riamh go raibh naimhde aici?'

Chroith Jack a cheann.

'Nuair a tháinig sí ar ais ón India, bhí sí mar a bhíodh nuair a bhí sí óg. Gealgháireach. Ar bharr an tsaoil. Agus bhí sí mar sin ar feadh tamaillín. Ach an uair dheireanach a bhuail mé léi, sé mhí sarar tharla an rud uafásach seo, bhí sé soiléir go raibh rud éigin ag cur isteach uirthi.'

'Ar tháinig sise anseo, chugatsa?'

'Tháinig. Chaith sí cúpla lá anseo. Bhí Carol as baile san am, ar saoire le cara léi. Is ansin a d'inis Patsy dom faoin gcoir a imríodh uirthi nuair a bhí sí ina déagóir.'

'Bhí sé sin ag cur isteach uirthi arís?'

'De réir dealraimh. Bhí sé soiléir go raibh rud éigin eile ag cur isteach uirthi freisin, rud éigin ina saol pearsanta. Ach ní raibh sé de nós againn labhairt faoi cúrsaí príobháideacha,' arsa Jack.

D'éirigh sé ón mbord chun an pota caife a fháil. Bhí an caife a dhein sé thar barr agus bhí Saoirse lánsásta cupán eile de a thógáil.

'Tuigim,' arsa Máirtín, ag slogadh siar a chuid caife agus ag glacadh braon eile. Bhreathnaigh sé ar Shaoirse. Bhí sé ag iarraidh imeacht de réir dealraimh. Díreach nuair a bhí an comhrá ag bogadh i dtreo rud éigin spéisiúil.

'An raibh aon fhear aici saol go bhfios duit?' a d'fhiafraigh sí. Ba é sin an chéad cheist a chuir sí air. Cé go raibh go leor ceisteanna ar intinn aici i rith an agallaimh shíl sí nár fúithi a bhí sé iad a chur. Bhreathnaigh sí go tapa ar Mháirtín, féachaint ar chuir sé isteach air gur oscail sí a clab. Ach ní raibh an chuma air gur thug sé faoi deara go raibh aon rud neamhghnách tar éis tarlú. Bhí sé ag féachaint ar Jack, ag feitheamh lena fhreagra, a pheann ina bhéal aige, mar ba ghnách.

'Mar a dúirt mé, níor labhraíomar faoi na cúrsaí sin, mórán. Ach, ar ndóigh, bhí fir ina saol i gcónaí agus bhuail mé le duine nó beirt díobh. Bhí sí in éineacht le fear an t-am ar fad a chaith sí san India, mar shampla. Sasanach darbh ainm Richard Smith. Cheap mé go bpósfaidís ach níor dhein. Scar siad agus is ansin a d'fhill sí anseo.'

'Agus cá bhfuil Richard Smith anois?'

'Nílim cinnte. Fós san India, b'fhéidir. Níor tháinig sé abhaile an t-am sin pé scéal é. Innealtóir ba ea é agus bhí sé ag obair ar thionscadal a bhain le soláthar uisce. Bhí Patsy brónach faoin mbriseadh ach, chomh fada agus a thuig mé, ise a dhein é.'

'Cé chomh fada a chaith sí le Richard Smith?'

'A cúig nó a sé de bhlianta.'

'Agus an raibh éinne eile i gceist?'

'Bhuel, roimhe sin bhí sraith buachaillí aici nuair a
bhí sí ar an ollscoil. Ní cuimhin liom mórán díobh.
Conor this agus Alasdair that. Pilib, b'fhéidir. Ceapaim
go raibh sí mór le fear éigin darbh ainm Pilib.'

'Pilib Ó Cadhla?'

'Sea. B'in é.'

Bhreathnaigh Saoirse go buacach ar Mháirtín. Bhí sé
ag scríobh leis go dúthrachtach.

'Éinne eile? Ó d'fhill sí go hÉirinn? Ó chuir sí fúithi i
nDún Dearg?'

Chroith Jack a cheann.

'Ní fhaca mé Patsy go minic ó chuaigh sí go Ciarraí.
Agus níor labhraíomar faoi aon ní den saghas sin. Ghlac
mé leis go raibh sí ag glacadh sosa ó chúrsaí grá, go
raibh sí ag iarraidh díriú ar a cuid oibre. Den chéad uair
ina saol.'

Tháinig cuma bhrónach air.

'Tá sé in am dúinn a bheith ag imeacht,' arsa Máirtín.
'Tá go leor de do chuid ama tógtha againn.'

'Tá áthas orm cabhrú leat,' arsa Jack. 'Thabharfadh sé
faoiseamh éigin dom dá mbeadh réiteach ar an scéal
seo, agus dá mbéarfaí ar an té a dhein an beart gránna.'

'Ar ndóigh,' arsa Máirtín. 'Tá ceist amháin eile agam
ort, a dhochtúir. Bhfuil tuairim ar bith agat cé a dhein é?'

Níor labhair Jack ar feadh nóiméid. Ansin dúirt sé:

'Níl. An bhfuil tuairim ar bith agatsa?'

'Tá,' arsa Máirtín. 'Níos mó ná ceann amháin.'

'Is maith sin,' arsa Jack. 'Déan iad go léir a iniúchadh.
Ná fág aon ní as an áireamh má bhíonn tú in amhras air.
Má leanann tú gach leid go cúramach, tiocfaidh tú ar an
réiteach. Níl i gceist ach saothar agus dúthracht, saothar

agus dúthracht. Sin an eochair. An eochair chéanna a bhíonn i gceist i ngach saghas taighde.'

D'fhág siad slán leis agus d'imigh leo.

'Pilib! Smaoinigh air sin!' arsa Saoirse. 'Bhí seanaithne acu ar a chéile.'

'Suimiúil,' arsa Máirtín. 'Caithfidh mé bualadh leis an bPilib seo.'

'Tá sé i gCalifornia. An féidir leat dul ansin as do stuaim féin?'

Dhein Máirtín cloch a chiceáil.

'Beidh sé deacair. Ach déanfaidh mé é, más gá. By dad, níl an diabhal sin Ó Muircheartaigh chun stop a chur liom anois!'

Bhí an lá go deas agus bhí dhá uair an chloig le spáráil acu sara mbeadh a t-eitleán ag imeacht. Theastaigh ó Mháirtín turas a thabhairt ar Scotland Yard.

'Bhfuil tú chun cabhair a iarraidh ar na póilíní ansin?' Cheap Saoirse go mbeadh sé sin beagáinín contúirteach.

'Níl ná é,' arsa Máirtín. 'Ba mhaith liom an áit a fheiceáil, sin an méid.'

Dhein Saoirse gáire.

'B'fhéidir go mba mhaith leat sciuird a thabhairt isteach go Sráid Baker freisin?' ar sise.

Cheap sé go raibh sí i ndáiríre.

'Má bhíonn an t-am agam,' ar seisean. 'Is dócha go mbeadh láthair oidhreachta nó iarsmalann nó rud éigin acu sa teach úd?'

'Níl a fhios agam,' arsa Saoirse. 'Ós rud é nach raibh ann ach teach ficseanúil.'

'Ní chuirfeadh sé sin bac ar thionscal na turasóireachta,' arsa Máirtín, 'má tá aon chosúlacht acu leis an dream sa bhaile pé scéal é.'

Scar siad óna chéile. Chaith Saoirse an dá uair an chloig ag siúl suas síos Sráid Oxford agus na sráideanna thart timpeall air. Chuaigh sí isteach sna siopaí móra go léir le féachaint ar na hearraí a bhí iontu, Liberty agus Miss Selfridge agus Laura Ashley agus Burberry agus mar sin de. An chuid is mó de na siopaí, bhí brainsí acu anois i mBaile Átha Cliath. Mar sin féin, bhí na siopaí anseo, foinsí na gcraobhacha sin, níos mó agus níos inspéise, toisc gurbh fhoinsí iad. Bíonn an fhoinse níos suimiúla ná an chóip i gcónaí, fiú mura mbíonn ann ach siopa a dhíolann fo-éadaí agus geansaithe dubha.

Bheadh spéis aici turas a thabhairt ar an Dome a tógadh i Londain chun an mhílaois nua a cheiliúradh, ach ní raibh am aici chuige sin. D'ól sí cupán tae, déanta as luibheanna, sa bhialann 'Cranks', cheannaigh roinnt luibheanna ann nach raibh ar fáil in ollmhargaí an Daingin, agus ansin bhí sé in am di an *tube* a thógáil ar ais go dtí Heathrow.

16

Ní raibh inneall freagartha ag Saoirse sa teach. Dá bhrí sin, nuair a shroich sí an baile tar éis an mheán oíche, ní raibh aon teachtaireacht ag fanacht léi. Ní raibh roimpi ach na cait agus iad ag caoineadh. Thug sí a gcuid *Whiskas* dóibh, mar ba ghnách léi, chuir uisce ar beiriú chun cupán tae a dhéanamh di féin, agus d'ullmhaigh chun dul a luí.

Bhí sí in airde staighre ag leathuair tar éis a dó dhéag, sínte sa leaba agus tuirse an domhain uirthi tar éis a bheith ina suí óna cúig a chlog ar maidin.

Níorbh fhada gur thit a codladh uirthi. Agus níorbh fhada ina dhiaidh sin gur dúisíodh arís í. Bhí sí ag taibhreamh faoi bheith ag ithe dinnéir lena máthair in óstán nó i dteach éigin thar lear. Ní raibh a fhios aici cén áit nó cén fáth a raibh sí ann. Bhí sicín rósta ar an mbord. B'in an íomhá a d'fhan léi agus í ag dúiseacht.

Bhí an teileafón ag preabadh.

Bhreathnaigh sí ar a huaireadóir. A hocht a chlog.

Bheartaigh sí gan éirí.

Lig sí don teileafón leanúint ar aghaidh ag bualadh ar feadh tamaillín. Faoi dheireadh stop sé. Thiontaigh sí ar a taobh agus dhein iarracht titim ina codladh arís agus leanúint leis an mbrionglóid. Theastaigh uaithi a fháil amach cá raibh sí féin is a máthair. Agus í ina dúiseacht

201

rith sé léi gur sa mheánoirthear a bhí sí, in Iosrael nó san Éigipt nó sa Liobáin. Bhí gaineamh ann pé scéal é. Ar ndóigh, b'fhéidir gur cois trá in iarthar na hÉireann a bhí siad. Nó i mBrittas Bay.

Bhí sí leath ina codladh nuair a thosaigh an teileafón ag bualadh arís.

An uair seo, d'éirigh sí chun é a fhreagairt.

'Hello,' a dúirt sí. Bhí a guth lag agus briste, amhail is dá mbeadh slaghdán uirthi. Bhíodh sé mar sin i gcónaí an chéad rud ar maidin.

'Hi!' Marcas a bhí ann. 'Bhfuil slaghdán ort?'

'Bhuel, b'fhéidir,' arsa Saoirse.

'Hi,' a dúirt Marcas arís.

Bhí comhrá gairid acu. Bhí Marcas i dTrá Lí. Bheadh sé i nDún Dearg ag am lóin, murar mhiste le Saoirse bualadh leis arís.

Níor cheap Saoirse go raibh sé sin iontach áisiúil. Ach ar an lámh eile de ba é seo an glaoch gutháin lena raibh sí ag tnúth le ceithre mhí anuas. Marcas ag filleadh uirthi. Agus mar bharr air sin níor dhúirt sí 'Ní hea' riamh. Dá bhrí sin níor mhiste léi. Bhaileodh sí é, fiú amháin, ó stad an bhus, ag a haon a chlog.

Nuair a leag sí síos an guthán d'airigh sí saghas folamh ina bolg. D'airigh sí go raibh easpa éigin misnigh ina cosa freisin, agus ina lámha, agus ina ceann. Bhraith sí go raibh sí ag snámh le sruth, nach raibh smacht aici ar an rud a bhí ag tarlú di. Cá raibh a triall? Ní raibh tuairim aici.

D'éirigh sí, agus dhein iarracht í féin agus a cuid gruaige a ní sa bháisín a bhí aici le gach sórt níocháin a dhéanamh ann. Tharraing uirthi a gnáthéadaí – *jeans* agus geansaí mór dubh a choimeád te í fiú amháin nuair nach mbíodh an tine lasta. Chuir sí eagar ar an mbothán. D'fhéach sí ar a cuid canbhás, iad ina luí agus ina seasamh timpeall an tseomra. An bhfaigheadh sí seans, riamh, dul i mbun oibre orthu?

Bhí sí ag stad an bhus, nó an áit inar stad an bus, cóngarach don teach tábhairne, in am maith. Lá breá a bhí ann. Bhí na bungalónna go léir ag glioscarnach faoi sholas na gréine. Bhí an fharraige ina léinseach. Bhí an chuma ar na hoileáin go raibh siad an-chóngarach don mhíntír. D'fhéadfadh sí na tithe beaga amuigh ar an oileán mór a fheiceáil go soiléir, agus an bád a bhí ag dul amach. Mí Aibreáin. Cheana féin bhí cuairteoirí thart, agus daoine ag iarraidh dul amach chun an lá a chaitheamh ag spaisteoireacht thart ar an oileán, ag breathnú ar an éanlaith agus ar na coiníní agus ar na tithe beaga inar mhair an tseanmhuintir fadó.

Chonaic sí an bus ag teacht timpeall an chúinne i mbarr an ghleanna, ar a bhealach ó Cheann Sléibhe. Dhein sé a bhealach trí lár an ghleanna, ar nós ainmhí mhóir ag déanamh tolláin trí na páirceanna. Níorbh fhada go raibh sé ina stad in aice léi. D'éirigh sí amach as an gcarr agus ag an nóiméad céanna, thuirling Marcas den bhus.

Léim a croí nuair a chonaic sí é. Chomh dathúil agus chomh tarraingteach leis! Agus an cumas a bhí ann í a chorraí! Bhí sin ligthe i ndearmad aici.

Bhí sé i mbarr na sláinte. Bhí loinnir ina leicne. Ní foláir nó go raibh sé tar éis a lán dá chuid ama san

Íoslainn a chaitheamh amuigh faoin spéir. Bhí a chuid gruaige níos faide ná mar a bhíodh agus d'oir sin go maith dó. Bhí cuma níos boige ar a aghaidh. Agus bhí éadaí nua air, rud a chuir ionadh mór ar Shaoirse, toisc nár athraigh sé a chuid éadaí, nó stíl a chuid éadaí, riamh roimhe seo. In ionad an tseanseaicéid leathair agus na *jeans* stróicthe, bhí *parka* mór dearg agus dúghorm de dhéantús spóirt. Bhí na *jeans* imithe agus ina n-ionad bhí *combats*. Ar na cosa aige bhí buataisí siúil, áit a mbíodh *winkle-pickers*.

Bhreathnaigh sé go hiontach.

Chaith sí í féin isteach ina bhaclainn. Leáigh a croí. Ní raibh a fhios aici go raibh sé reoite roimhe seo, ach de réir dealraimh bhí. Anois d'airigh sí go raibh sí sa bhaile, tar éis a bheith ag taisteal san fhásach ar feadh i bhfad.

'Ó, a Shaoirse,' arsa Marcas. Bhí sé soiléir gur airigh seisean díreach mar an gcéanna.

Thiomáin siad abhaile. Ar an mbealach, chonaic sí Danny, Paddy agus Mící ag gabháil an bhóthair, agus chonaic siadsan ise. Agus Marcas. Sara i bhfad bheadh a fhios ag an bparóiste go raibh cuairteoir aici.

Marcas a d'inis a scéal ar dtús.

Thaitin an Íoslainn leis. Bhí an aeráid go dona i rith an gheimhridh ach go háirithe. Ach bhí an timpeallacht go hálainn agus thar a bheith spéisiúil. Dhein sé an-chuid oibre, agus dhein sé cairde maithe. Bheadh taispeántas aige in Reykjavik i mí Iúil agus i mí Mheán an Fhómhair bheadh *retrospective* mór aige i mBaile Átha Cliath.

'Retrospective? Níl tú ach tríocha bliain d'aois!' arsa Saoirse.

'Táim ag obair ó bhí mé fiche,' arsa Marcas. 'Tá níos mó ná trí chéad pictiúr déanta agam.'

'Yeah!' arsa Saoirse, ag smaoineamh ar na trí rud a bhí ar crochadh sa ghailearaí beag sa Daingean. 'Is dócha go bhfuil!'

Bhí éad uirthi, ach níor lig sí uirthi é.

'Cad fút féin?'

D'inis sí cuid den scéal dó. Leag sí béim ar ghné na healaíne dá saol; luaigh sí na cairde a bhí déanta aici, agus na fadhbanna a bhí aici leis an uisce. Dhein sí cur síos gairid ar an dúnmharú agus thug le fios go raibh teagmháil éigin aici leis na gardaí ina thaobh. Ach níor luaigh sí ainm Mháirtín, ná níor thug cuntas ar an turas a rinne sí an lá roimhe go Londain, fiú amháin nuair a d'fhiafraigh sé di cá raibh sí inné, nuair a bhí sé ag iarraidh glaoch teileafóin a chur uirthi. Bheadh sé róchasta, a cheap sí, gach rud a mhíniú. Dúirt sí go raibh sí amuigh, sa Daingean agus ag siúl thart, an lá ar fad. Ghlac sé leis sin mar leithscéal. Cén fáth nach nglacfadh?

Chaith siad an chuid ba mhó den lá ag cur aithne ar a chéile arís. Lá milis a bhí ann, ag an mbeirt acu. Anois is arís, agus iad ag déanamh grá, nó ag spaisteoireacht thart ar na bóithríní, mhothaigh Saoirse go raibh dearmad déanta aici ar rud éigin tábhachtach ba cheart di a dhéanamh. Ach uair ar bith a bhuail an smaoineamh míchompordach seo í, bhrúigh sí siar é. Agus bhí go leor ag tarlú, bhí sí sona go leor, chun go bhféadfadh sí sin a dhéanamh.

'Tá an áit seo go deas,' arsa Marcas, agus iad ina suí ar chlaí ar taobh an tsléibhe. Bhí ceann Shaoirse ina luí ar a ghualainn agus a mhéara ag súgradh lena cuid gruaige. Síos fúthu, ní raibh faic le feiceáil ach an fraoch agus an t-aiteann, an fharraige agus na hoileáin: bhí roinnt áiteanna i nDún Dearg nach bhféadfaí na tithe agus na gluaisteáin agus na sreanga leictreachais a fheiceáil, áiteanna nach raibh le feiceáil iontu ach rudaí nádúrtha. 'D'fhéadfá a bheith sa chéad aois roimh Chríost.' Thosaigh sé ag cuimilt chúl a muiníl. 'Nó san Íoslainn.'

Phóg Saoirse é, póg a mhair ar feadh tamaill fhada. Nuair a tharraing siad siar óna chéile, dhún Marcas a shúile. D'fhéach Saoirse amach thar a ghualainn ar an gcarraig a bhí ag gobadh amach san fharraige thíos fúthu – Leac Thomáisín. Bhí faoileáin á thimpeallú, na céadta acu, agus iad ag screadaíl go fíochmhar. Bhí torann uafásach á dhéanamh acu, torann fiáin truamhéalach.

D'oscail Marcas a shúile.

'Tá brón orm, a Shaoirse,' a dúirt sé.

'Brón? Cén fáth? Tarlaíonn na rudaí seo,' arsa Saoirse.

'Raiméis,' arsa Marcas.

'Bhuel, OK, má deir tú é,' arsa Saoirse.

'Táim i ngrá leat,' arsa Marcas. 'Tá grá agam duit. Gráim thú. Right?'

Tharraing sé chuige arís í agus phóg í. Bhí an phóg seo níos paiseanta agus mhair níos faide ná an chéad cheann. Ach nuair a bhí sé thart níor dhúirt Saoirse faic. Bhíodh sí i ngrá le Marcas. Bhí grá aici dó. Ghráigh sí é.

Ach ar dhein fós? Agus cén chiall a bhí leis an bhfocal sin 'grá'?

D'fhan siad sa bhaile don dinnéar. D'ullmhaigh Saoirse sicín le *coriander* agus rís, agus bhí Marcas tar éis cúpla buidéal fíona a thabhairt leis ón aerfort. Bhí coinnle ar lasadh, agus tine mhaith ag damhsa ar an teallach. Tharraing sí cábla an teileafóin as an mballa, ionas nach mbeadh éinne ag cur isteach orthu.

'Táim ag filleadh ar an Íoslainn i gceann seachtaine,' arsa Marcas. Bhí sé tar éis an turas seo a dhéanamh d'aon ghnó chun Saoirse a fheiceáil, dar leis féin.

'Nach raibh socruithe le déanamh agat maidir leis an taispeántas sin a bheidh agat amach anseo?' arsa Saoirse.

'Bhí,' a dúirt sé go mífhoighneach, 'ach d'fhéadfainn sin a dhéanamh chomh maith céanna ar an teileafón.'

Bhí náire ar Shaoirse go raibh sí chomh hamhrasach.

'Cad a tharla?' a d'fhiafraigh sí dó.

'Cad tá i gceist agat?'

Bhí a fhios aige cad a bhí i gceist aici. Ach bhí seisean amhrasach anois freisin. Níorbh ionann an Saoirse a bhí aige anois agus an Saoirse a bhíodh i mBarra an Teampaill sé mhí ó shin. Bhí athrú tagtha uirthi. Níor fhéad sé a mhéar a chur air ach bhí sí níos cinnte di féin, agus neamhspleách ar chuma éigin.

'Bhuel, tá a fhios agat. D'athraigh tú d'intinn. Conas a tharla sé? Cad a thug an t-athrú meoin seo ort?'

Bhreathnaigh sé uirthi ar feadh nóiméad nó dhó. Chuir sé a lámha thart uirthi.

'Tháinig ciall chugam,' ar seisean, 'ansin i dtír na leice oighir.'

I bhfocail eile, níl tú chun míniú ar bith a thabhairt dom ar an scéal, arsa Saoirse, léi féin.

Buaileadh cnag ar an doras.

Phreab sí.

Ach bhí uirthi an doras a fhreagairt.

Máirtín a bhí ann.

Ar a laghad bhí sé gléasta ina éide oifigiúil.

'Tar isteach!' arsa Saoirse, agus í chomh nádúrtha agus a bhí ar a cumas.

Tháinig sé isteach, ag féachaint thart go fiosrach. Chuir Saoirse é féin agus Marcas in aithne dá chéile. 'Cara liom ó Bhaile Átha Cliath' agus 'garda atá ag iniúchadh chás an dúnmharaithe sin ar inis mé duit ina thaobh'.

Shuigh Máirtín ar thaobh amháin den tinteán agus Marcas ar an taobh eile. Thóg Saoirse cathaoir agus shuigh i lár baill.

'An mbeidh braon fíona agat?' ar sí le Máirtín.

'Ní bheidh go raibh maith agat,' arsa Máirtín. 'Ar dualgas, tá a fhios agat.'

'Right!' arsa Saoirse. 'So. Aon scéal?'

'Bhuel,' arsa Máirtín, ag breathnú ar Mharcas, 'tá nuacht agam.' Ghlac sé sos agus ansin lean leis. 'Tá Jason marbh.'

Ní raibh Saoirse ag súil leis sin.

'Jason!'

'Sea.'

'Conas?'

'Timpiste bóthair,' arsa Máirtín. 'Bhí sé ag tiomáint ón Daingean go Dún Dearg aréir agus d'fhág a charr an bóthar. Thit sé le haill.'

'Cá háit?'

'Tá a fhios agat Leac Thomáisín? Thíos ansin,' arsa Máirtín.

Chuimhnigh Saoirse ar na faoileáin.

'Chuaigh sé isteach san fharraige?'

'Ní dheachaigh. Tá fána fhada idir an bóthar agus an fharraige díreach ansin. Ach chuaigh sé ag casadh síos ann agus chuaigh an gluaisteán trí thine.'

'Chríost!' arsa Saoirse.

'Ceann de na rudaí sin,' arsa Máirtín. 'Cheap mé go mba cheart dom insint duit sara gcloisfeá ó éinne eile é.'

'Timpiste a bhí ann?' arsa Saoirse.

'Tá an chosúlacht sin air.' D'éirigh Máirtín ina sheasamh. 'Anois fágfaidh mé thú, ós rud é go bhfuil cúraimí ort.' D'fhéach sé ar Mharcas. Níorbh fhéachaint chairdiúil í.

'An mbeidh tú san oifig amárach?' arsa Saoirse.

'Faraor, beidh,' arsa Máirtín.

'Cuirfidh mé glaoch ort, más ea,' arsa Saoirse.

'Dein sin, a chailín,' arsa Máirtín i nguth brónach agus d'imigh sé.

'Cérbh é sin?' arsa Marcas chomh luath agus a dúnadh an doras.

'An garda, mar a dúirt mé,' arsa Saoirse.

'Tá do gharda pearsanta féin agat a thugann blúiríní nuachta duit i lár na hoíche?' arsa Marcas, ag gáire.

'Ní lár na hoíche é,' arsa Saoirse. 'Níl sé ach leathuair tar éis a naoi.'

'OK, OK,' arsa Marcas. Bhí cuma imníoch air.

'Agus caithfidh mé glaoch ar Mhéiní, is dócha, anois,' arsa Saoirse. 'Jason! Jessica bhocht. Jessica bhocht!'

17

An maidin dár gcionn, dhúisigh Saoirse go luath. Bhí fonn ar Mharcas fanacht sa leaba – níor dhuine é a chleacht an mochóirí riamh.

'Tá teachtaireacht le déanamh agam,' arsa Saoirse. 'Beidh mé ar ais i gceann uair an chloig nó mar sin. An mbeidh tú ceart go leor anseo leat féin?'

'Bhfuil rogha agam?' arsa Marcas. 'OK, fine, tá sé tuillte agam. Slán!'

'Tá scrúdú déanta cheana féin ar an ngluaisteán,' arsa Máirtín, 'nó ar an méid de atá fágtha. Níor brúdh ón mbóthar é. Is é sin le rá, níor bhrúigh mótar ar bith eile ón mbóthar é.'

Bhí sé féin agus Saoirse i gcaife sa Daingean, ag ól cupán caife.

'Ach …?' arsa Saoirse.

'Is féidir duine a bhrú ón mbóthar ar bhealaí eile. Trí sheasamh os a chomhair amach, mar shampla. Trí ainmhí a chur sa tslí ar an ngluaisteán.'

'Agus creideann tú gur tharla rud éigin mar sin?'

'Seans maith,' arsa Máirtín.

'Bhí eolas éigin ag Jason faoin dúnmharú,' arsa Saoirse. 'Bhí amhras orm ina thaobh ó tharla sé.'

'Bhuel, labharfaidh mé le Jessica.'

'Ní dóigh liom go raibh a fhios ag Jessica, pé rud a bhí i gceist.'

Dhein Máirtín a pheann luaidhe a chogaint.

'Conas a dhéanann tú sin amach?'

'Buille faoi thuairim, ar ndóigh.'

'Rachaidh mé ag caint léi tráthnóna. Chomh luath agus a scaoilfear amach as an bpríosún sin trasna an bhóthair mé.'

'Beidh sí trína chéile.'

'Níl leigheas agam air sin,' arsa Máirtín.

'Cén dearcadh atá ag an gCigire Ó Muircheartaigh ar an scéal anois?'

'Timpiste is ea é seo, dar leis. Ní chuireann sé spéis ar bith ann. Cén fáth a gcuirfeadh? Cailltear scór duine ar bhóithre Chiarraí in aghaidh na bliana. Glacann sé leis mar fheiniméan nádúrtha. Ar nós thruailliú na sléibhte. Nó galar dubh na mbungalónna.'

'Tá tú ag labhairt mar a labhraíodh Patsy anois.'

'B'fhearr dom aire a thabhairt dom féin más ea,' arsa Máirtín. Bhreathnaigh sé ar a uaireadóir. Lig sé osna. 'B'fhearr dom dul thar nais nó beidh an sáirsint ag gearán.'

'Right,' arsa Saoirse. 'Cad mar gheall ar Philib?'

'Dhera,' arsa Máirtín, go feargach. 'Tógfaidh sé am orm turas go Meiriceá a shocrú. Caithfidh mé víosa a fháil. Gan trácht ar an gcostas. Airgead agus am, sin dhá rud nach bhfuil agam. Ach cífimid.'

'Mm,' arsa Saoirse. 'Trua nach dtabharfadh an fórsa cead duit dul ann.'

'Ní fiú a bheith ag tnúth leis sin,' arsa Máirtín. 'B'fhearr leis an bhfórsa mé a chur amach ar thóir páistí atá ag ceannach tinte ealaíne go neamhdhleathach. Nó ag rith i ndiaidh buachaillí a bhíonn ag ól ceirtlise sa pháirc phoiblí. Ná bí ag caint faoi, mar fhórsa!'

'OK,' arsa Saoirse. 'Ní bheidh mé.'

'Uaireanta ní thuigim cén fáth ar roghnaigh mé a bheith i mo gharda,' arsa Máirtín.

'Is dócha nach raibh fhios agat go mbeadh an Cigire Ó Muircheartaigh agat mar chomhghleacaí.'

'Ní raibh,' arsa Máirtín. 'Coimeádann siad eolas den saghas sin acu féin. Tá an méid sin céille acu, na diabhail.'

'Ná bac leis,' arsa Saoirse. 'Lá éigin, rachaidh sé amach ar pinsean.'

'Ar an bhfichiú lá de Lúnasa, 2016,' arsa Máirtín.

Phléasc Saoirse amach ag gáire, cé gur ábhar trua é i ndáiríre.

'Labhair mé le dlíodóir Melissa McCarthy,' a dúirt Máirtín ansin. 'Bhí an ceart againn. Charlie a fhaigheann gach rud anois. Bhí uacht déanta aici inar fhág sí an teach aige, mar aon le deich míle punt, agus fuílleach a cuid saibhris ag Patsy. Ach ós rud é go bhfuil Patsy imithe anois, faigheann seisean gach rud.'

'An raibh sí saibhir.'

'Saibhir? Braitheann sé. Bhí isteach is amach ar mhilliún punt aici,' arsa Máirtín. 'Chomh maith leis an teach agus a bhfuil ann. Agus bhí teach eile aici, teach samhraidh, i ndeisceart na Fraince.'

'Bhí sí saibhir,' arsa Saoirse.

'Bhuel, bhí. Agus anois fear saibhir is ea Charlie Browne,' arsa Máirtín. 'Tá coinne agam leis an gceantálaí sin, Ó Broin, tráthnóna. Ceisteoidh mé é faoi imeachtaí Charlie.'

'Agus cad mar gheall ar Jason?'

'An bharúil atá agamsa ná, pé duine atá ciontach as dúnmharú Phatsy, an duine sin a mharaigh Jason freisin.'

Chas sé chun imeacht.

Sarar dhein, d'fhéach sé idir an dá shúil uirthi.

'Cé hé an punk sin atá agat sa teach?'

Dhearg Saoirse.

'Marcas Bitterman,' ar sise. 'Cara liom as Baile Átha Cliath. Tháinig sé gan choinne.'

'Tuigim,' arsa Máirtín. 'Agus an imeoidh sé gan choinne leis?'

Tháinig pas beag feirge ar Shaoirse.

'Sin rud ná feadar,' ar sise. 'Chomh fada agus is eol dom beidh sé ag imeacht amárach.'

Dhein Máirtín miongháire beag.

'Slán leat,' dúirt sé. D'imigh sé leis.

Bhí Marcas ina shuí nuair a shroich Saoirse an teach. Bhí sé fós ina fheisteas oíche, áfach, caife agus toitín á n-ól aige agus ceol ar an raidió. Shuigh sí ina aice na fuinneoige.

'Tabhair póg dom!' a dúirt sé, nuair a shiúil sí isteach. 'Mm, tá boladh an aeir fholláin ort,' a dúirt sé nuair a dhein.

Thóg sí cupán caife í féin, cé nach raibh fonn uirthi ós rud é go raibh dhá chupán ólta aici cheana féin sa Daingean.

'Cé leis an rud sin ar chúl an tí?' arsa Marcas, agus é ag comharthú an charbháin lena cheann.

'Tagann sé leis an teach seo,' arsa Saoirse. 'Tá eochair agam dó.'

'Chuaigh duine éigin isteach ann nuair a bhí tú in easnamh,' arsa Marcas.

'An ndeachaigh?' arsa Saoirse, agus aiféala uirthi.

'Duine de na fir sin a chonaiceamar ar an mbóthar inné. Fear na féasóige.'

'Tá a fhios agam. Danny. Bhfuil sé fós ann?'

'Níl a fhios agam,' arsa Marcas. 'Chonac ag dul isteach é uair an chloig ó shin nó mar sin. Ach níor choimeád mé súil air. Shíl mé go raibh míniú nádúrtha ar an scéal.'

'B'fhéidir go bhfuil freisin,' arsa Saoirse. 'Ach níl a fhios agam cad é. Táim ag dul amach chun breathnú sa charbhán.'

'An dtiocfaidh mé leat?'

'No,' arsa Saoirse, tar éis smaoineamh ar feadh nóiméid. 'Fan anseo. Bí ag faire. Má tharlaíonn aon rud, beidh tú in ann ... cabhrú.'

'Má tharlaíonn aon rud? Bhfuil sé dainséarach amuigh ansin?'

Bhí Marcas leath i ndáiríre.

'Ní fheadar,' arsa Saoirse.

'Nach ceart glaoch ar do chara sna gardaí má tá?'

Ach níor chuir Saoirse a thuilleadh ama amú. Amach léi go dtí an carbhán.

Bhí an mhaidin scamallach agus dorcha, ach ní raibh sé ag cur báistí go fóill. Bhí an chuma ar an gcarbhán nach raibh éinne ann.

D'oscail sí an doras. Bhí leathsholas liath ar fud an tseomra mhóir laistigh. Folamh. Shiúil sí tríd agus d'oscail na doirse eile. Bhí na seomraí eile folamh freisin. Bhain sí triail as an seomra a bhíodh faoi ghlas go hiondúil. Baineadh geit aisti nuair a d'oscail sé go furasta.

Bhí an seomra níos mó ná mar a mheas sí. Bhí sé dorcha. Dallóg a bhí ar an bhfuinneog seachas cuirtíní, agus níor lig sé an solas isteach. Las Saoirse an solas leictreach. Baineadh geit aisti. Bhí an seomra lán de dhealbha — dealbha móra cloiche. Clocha Oghaim. Crosa ceilteacha. Crosa agus figiúirí éagsúla a bhí feicthe aici i bpáirceanna agus san iarsmalann, agus i leabhair sheandálaíochta. Bhí cuma aithnidiúil orthu uilig, cé nach raibh sí in ann ainm a chur le ceann ar bith acu.

Gallán an Riaisc? Leaba an Oirmhinnigh? Cros Fhionntain?

Tháinig na hainmneacha ar ais chuici, na hainmneacha a bhí luaite sna teachtaireachtaí ríomhphoist a sheol Pilib chuig Patsy.

Thug sí sracfhéachaint eile timpeall an charbháin, féachaint an raibh aon rud le tabhairt faoi deara sa bhreis air seo. Ní raibh.

Shiúil sí ar ais go dtí an teach.

'Phew!' arsa Marcas. 'Tháinig tú slán. Buíochas mór le Dia!'

'Sea,' arsa Saoirse.

D'inis sí dó faoina bhfaca sí amuigh sa charbhán, agus chuaigh sé amach chun féachaint air.

'Wow!' a dúirt sé. 'Is dócha gur cóipeanna iad de na bunoibreacha. Ach tá an chuma orthu go bhfuil siad míle bliain d'aois, nach bhfuil?'

'Tá,' arsa Saoirse.

'Bheadh saineolaí in ann an aois a mheas go héasca,' arsa Marcas. 'Seans maith nach bhfuil ann ach cóipeanna agus nach bhfuil aon rud mídhleathach ar siúl. Níl cóipcheart ar rudaí den aois sin. Agus tá na cóipeanna seo níos fearr ná na cinn a fheiceann tú de ghnáth.'

'Tá siad thar a bheith go maith, nach bhfuil?' arsa Saoirse. 'Cuirfidh mé glaoch ar an gardaí.'

Ghlaoigh sí ar Mháirtín. Bhí sé san oifig. Dúirt sé go dtiocfadh sé chomh luath agus ab fhéidir leis.

'Tá an iomarca ar siúl anseo,' arsa Marcas, agus iad ag feitheamh ar Mháirtín. 'Conas a dhéanann tú obair ar bith?'

'Níl mórán déanta agam le tamaillín anuas,' a d'admhaigh Saoirse dó.

'Cén fáth nach dtagann tú go dtí an Íoslainn liomsa?' arsa Marcas. 'Tá trí mhí eile agam ann, agus seans gur féidir liom síneadh a fháil ar mo scoláireacht ansin. Tá árasán mór fairsing agam. Neart spáis ann duitse agus do do chuid oibre.'

'Mm,' arsa Saoirse, agus í ag cuimhneamh ar an rud a deireadh sé léi i gcónaí nuair a bhíodh sí ag iarraidh bogadh isteach leis i mBaile Átha Cliath – 'Níl spás agam ach dom féin agus do mo chuid canbhás' – 'cathain a bheidh tú ag dul ar ais?'

'Amárach,' arsa Marcas. 'Táim ag dul go Baile Átha Cliath amárach ach go háirithe, agus beidh mé ag filleadh ar Reykjavik Dé Sathairn. D'fhéadfá teacht ansin nó ar ball beag.'

'Tógfaidh sé roinnt ama bogadh amach as an áit seo,' arsa Saoirse.

'So, tiocfaidh tú?'

'Smaoineoidh mé air,' arsa Saoirse. 'Geallaim sin.'

'All right,' arsa Marcas. 'Cad is féidir liom a rá? Tá brón orm. Tá brón orm. Táim i ngrá leat.'

'Tá sé sin ceart go leor. Maithim duit é,' arsa Saoirse.

'Cén rud a mhaitheann tú dom?'

Níor fhreagair sí é.

Tháinig Máirtín, agus an Cigire Ó Muircheartaigh in éineacht leis.

Bhí ar Mháirtín gach duine a chur in aithne dó arís, cé gur bhuail Saoirse agus Ó Muircheartaigh lena chéile cheana. Lig sé air nár chuimhin leis sin. Nó b'fhéidir nár chuimhin leis.

'Cá bhfuil an carbhán seo?' ar seisean.

'Amuigh sa ghairdín ag cúl an tí,' arsa Saoirse.

Chuaigh siad amach. Bhreathnaigh sé ar na dealbha.

'Hm,' a dúirt sé. 'An-spéisiúil. Agus cé leis an áit seo?'

'Pilib Ó Cadhla, an duine ar leis an teach. Eisean atá in San Francisco.'

'Sea, sea,' arsa an Cigire. 'San Francisco, an ea?'

'Sea. Ach chonaiceamar Danny abhac ag teacht isteach anseo ar maidin.'

'Danny abhac?'

'Danny Ó Sé,' arsa Saoirse. 'Tá cónaí air sa pharóiste.'

'Sa pharóiste,' arsa an Cigire.

'B'fhéidir gur cheart é a cheistiú?' arsa Máirtín.

'Ar ndóigh. Agus caithfear saineolaithe a chur anseo chun na rudaí seo a scrúdú. Cuirfidh mé glaoch ar Oifig na nOibreacha Poiblí agus cuirfidh siad duine éigin chugainn,' arsa an Cigire. 'Agus maidir le Pilib ... caithfidh mé smaoineamh air.'

'Bhíodh sé i dteagmháil le Patsy McCarthy,' arsa Máirtín.

'Patsy McCarthy?'

'An bhean a maraíodh anseo,' arsa Máirtín.

'Sea, tá a fhios agam,' arsa an Cigire. 'Bhíodh a lán daoine i dteagmháil léi, nach mbíodh?'

'Ceapaim go raibh baint aici leis na dealbha seo,' arsa Máirtín. 'Tá tagairt dóibh ar a ríomhaire.'

Bhreathnaigh an Cigire Ó Muircheartaigh go hamhrasach ar Mháirtín.

'Tá a fhios agam sin, ach conas a tharlaíonn sé go bhfuil a fhios agatsa?'

'Léigh mé an comhad ar an gcás. Tá an-obair go deo déanta agaibh air,' arsa Máirtín.

Dhein an Cigire gáire beag.

'So, cá mbíonn an Danny seo nuair a bhíonn sé sa bhaile?'

D'imigh siad, eisean agus Máirtín, agus ní fhaca Saoirse ceachtar acu arís an lá sin.

Um thráthnóna, chuaigh Saoirse agus Marcas chun cuairt a thabhairt ar Jessica. Ní raibh Saoirse ag súil go mbeadh sí istigh. Ach bhí. Bhí sí ina haonar sa chaisleán.

'Tá brón orm,' arsa Saoirse. 'Cad is féidir liom a rá?'

Níor dhúirt Jessica faic. Bhí sí ag stánadh roimpi. Bhí sé soiléir nár fhéad sí glacadh leis an rud a bhí tar éis tarlú.

'Arbh fhearr leat go n-imeoimis?' arsa Saoirse, tar éis tamaill. Ní raibh tine curtha síos ag Jessica agus bhí an áit fuar.

Chroith sí a ceann.

'Fan tamaillín,' ar sise.

'An gcuirfimid tine síos duit?' arsa Saoirse.

Bhí sí sásta leis sin.

Dhein Saoirse tae. Thuig sí nach raibh aon ní ite ag Jessica le fada. Dhein Marcas an tine a ullmhú agus a lasadh. Nuair a bhí sin déanta, shuigh siad go léir cois tine. D'ól Jessica braon tae. Ansin thosaigh sí ag caoineadh.

Lig siad di caoineadh ar feadh tamaill fhada. Nuair a stop sí, d'iarr Saoirse uirthi ar mhaith léi labhairt faoin rud a tharla.

'Níor mhaith,' arsa Jessica. 'Cén mhaitheas a dhéanfaidh sé sin? Níl sé chun teacht ar ais anois.'

'Níl,' arsa Saoirse.

'Cad a dhéanfaidh mé?' arsa Jessica. 'Cad a dhéanfaidh mé? Cad a dhéanfaidh mé gan é?'

Chaoin sí arís.

Bhí sé soiléir nach raibh sí chun puinn a rá. Ní raibh suim aici sna ceisteanna faoi conas a fuair Jason bás nó cad a bhí taobh thiar de. An t-aon rud a chuir isteach uirthi ná go raibh sé marbh.

'An ceart duit a bheith anseo i d'aonar?' arsa Saoirse.

Labhair sí go searbh.

'Táim sa bhaile anseo. Nílim ag iarraidh a bheith in áit ar bith eile.'

'Tuigim sin,' arsa Saoirse. 'Nár mhaith leat cuideachta a bheith agat, áfach?'

Chroith Jessica a ceann.

'B'fhearr liom a bheith i m'aonar,' a dúirt sí. 'Ach beidh cuideachta agam pé scéal é. Beidh mo mháthair agus tuismitheoirí Jason ag teacht ar ball. Chun ...'

Níor fhéad sí an abairt a chríochnú.

D'fhan Saoirse agus Marcas léi ar feadh leathuair an chloig agus ansin d'imigh siad.

Ní raibh aon rian d'éinne ó Oifig na nOibreacha Poiblí faoin teach nuair a d'fhill siad air. Ach nuair a bhí Saoirse agus Marcas ag ithe a gcuid dinnéir, tháinig Seán ar cuairt.

'Dia bhur mbeathasa!' a dúirt sé, ag teacht isteach.

Chuir Saoirse Marcas in aithne dó.

Shuigh Seán síos cois tine. Thairg Saoirse fíon dó agus ghlac sé gloine mar a dhein i gcónaí.

'Chuala go raibh imeachtaí móra anseo ar maidin,' arsa Seán.

'Ó, sea,' arsa Saoirse. 'Bhí na gardaí timpeall.'

'Dealbha sa charbhán, by dad!' arsa Seán. 'Bhí a fhios againn go raibh gnó beag de shaghas éigin ar siúl ag Pilib ach ní rabhamar cinnte cad é.'

'An ea?' arsa Saoirse. 'Níor labhair sé faoi na dealbha seo?'

'Níor labhair sé liomsa fúthu pé scéal é,' arsa Seán.

'Ach cén fáth a ndéanfadh?'

'Níl a fhios agam,' arsa Saoirse.

D'ól Seán a chuid fíona.

'An raibh na saineolaithe móra thart go fóill?' ar sé.

'Ní raibh, go bhfios dom,' arsa Saoirse. 'Ach ní raibh mé anseo tráthnóna.' Bhreathnaigh sí go géar air. 'Chuaigh mé go Caisleán na bhFuipíní.' Níor tháinig athrú ar bith ar a ghnúis. 'Chun Jessica a fheiceáil.'

Chroith sé a cheann.

'Drochghnó ba ea an timpiste sin,' a dúirt sé.

'An gceapann tú gur timpiste a bhí ann?' arsa Saoirse.

D'fhéach seisean go géar uirthi anois.

'Ar bhealach.'

'Cad is brí leis sin?'

'Jason!' Chroith sé a cheann. 'Bhíodh sé ard leath an ama, ar *hash* nó ar dhruga de shaghas éigin. Níor cheart dó a bheith ag tiomáint.'

'Ní raibh a fhios agam go raibh sé ar *hash*,' arsa Saoirse. 'Cá bhfuair sé é?'

Dhein sé gáire.

'Cá bhfaigheann siad go léir é?' ar seisean. 'Nach bhfuil an Daingean lofa leis? É ag teacht isteach sna báid gach aon lá den tseachtain.'

'An ea?'

'Dhera, nach maith atá a fhios agat gurb amhlaidh atá. Bhfuil tú ag rá liom nach dtógann tú féin é?'

'Ní thógaim,' arsa Saoirse.

'Nó an leaid sin sa chúinne,' arsa Seán, ag breathnú ar Mharcas.

Níor dhúirt Marcas rud ar bith.

'Gosh!' arsa Saoirse.

'Bhuel, bhuel, bhuel,' arsa Seán. 'Cá bhfuil do chara eile? An Garda Síochána?'

'Níl tuairim agam,' arsa Saoirse, ag éirí feargach.

D'éirigh Seán ina sheasamh.

'Beidh ort do shúil a choimeád ar an mbean seo,' a dúirt sí. 'Tá an-tóir uirthi ag fir Chorca Dhuibhne. Cén fáth nach dtabharfá ar ais go Baile Átha Cliath í?'

D'fhág sé an teach.

'A leithéid de shlíodóir!' arsa Marcas. 'Ce hé féin?'

Mhínigh Saoirse dó cérbh é.

'Beidh ort teacht go dtí an Íoslainn, chun éalú ó na daoine seo,' arsa Marcas. 'Ceapaim go bhfuil tú i mbaol anseo. Tar liom amárach.'

'Ní rachaidh mé amárach,' arsa Saoirse. 'Ach ceapaim go rachaidh sara i bhfad. Tá an ceart agat. Áit chontúirteach an áit seo. Tá sé in am agam imeacht.'

18

An lá arna mhárach, d'fhág Marcas Dún Dearg. Thiomáin Saoirse an bealach ar fad go dtí stáisiún na traenach i dTrá Lí leis. Agus iad ina seasamh sa scuaine ag feitheamh ar an traein sa stáisiún beag dorcha, d'áitigh sé uirthi arís Dún Dearg a fhágáil chomh luath agus a bheadh ar a cumas.

'Cuir glaoch orm san Íoslainn. Déanfaidh mé gach rud a shocrú duit,' ar seisean.

'Right!' arsa Saoirse, ag déanamh iontais de gur seo an Marcas céanna a bhíodh á crá i mBaile Átha Cliath. 'Cuirfidh mé glaoch ort go luath. Agus cífimid a chéile sara i bhfad.'

'Mo ghrá thú!' arsa Marcas.

Tháinig an traein agus d'imigh sé.

Bhí an lá go maith agus níor thóg sé i bhfad ar Shaoirse an Daingean a bhaint amach.

Stop sí agus chuaigh isteach i stáisiún na ngardaí.

Bhí Máirtín ansin, san oifig thosaigh, ag freastal ar gach éinne a tháinig isteach. Ní raibh mórán ag teacht isteach an lá áirithe seo, agus bhí an chuma air go raibh sé an-bhréan ar fad den saol. Las a aghaidh le háthas nuair a shiúil Saoirse isteach san oifig.

Bhí sé níos sásta fós nuair a chuala sé go raibh Marcas ar an traein, agus nárbh fhada go mbeadh sé ar ais san Íoslainn. Níor lig Saoirse uirthi go raibh sí féin ag smaoineamh ar dhul go dtí an dtír chéanna i gceann seachtaine nó mar sin.

'Aon scéal agatsa?' arsa Saoirse, nuair a bhí an dea-nuacht ar fad tugtha aici féin.

Dhein sé a pheann luaidhe a chogaint.

'Dhera, labhair mé leis an gcladhaire sin, an ceantálaí, inné. De réir dealraimh tá scéal Charlie Me Boy fíor. Bhí sé anseo an lá a maraíodh Patsy. Ach bhí sé in éineacht leis an gceantálaí an t-am ar fad. Tá *alibi* daingean aige.'

'Ach bhfuil an ceantálaí ag insint na fírinne?'

'Cá bhfios? Ach ceapaim go bhfuil. Comhghleacaí is ea é de chuid Charlie. Níor bhraith mé go raibh aon mheas mór aige air.'

'Right,' arsa Saoirse.

'Ar ndóigh ... cá bhfios.'

'Agus sin an méid?'

'Ní hé. Tá an Cigire ar a bhealach go San Francisco. An cladhaire! Aon slí chun saoire a ghlacadh ar chostas an stáit, tá sé away! Tá leath an domhain feicthe aige cheana féin agus sinne atá ag íoc as.'

Dhein Saoirse gáire.

'Ar a laghad beidh agallamh aige le Pilib.'

'Beidh agallamh agamsa leis roimhe, má bhíonn an t-ádh liom.'

'Conas?'

'Chuir mé glaoch air.'

'Agus?'

'Ní raibh sé istigh. D'fhág mé teachtaireacht dó. Má ghlaonn sé ar ais ...'

'Níl sé ciontach?'

'Bhuel, cá bhfios?'

'Tháinig Seán Ó Briain ar cuairt inné,' arsa Saoirse, agus thug cuntas dó ar an gcuairt.

'Caithfidh mé caint leis siúd arís freisin,' arsa Máirtín.

'Yeah. Tá ... an amhlaidh gur ciorcal mór atá ann? Bhfuil níos mó ná duine amháin ciontach?'

Dhein sé a cheann a scríobadh.

'Bíonn níos mó ná duine amháin ciontach i gcónaí,' ar seisean. 'Ach is duine amháin a dhéanann an beart, de ghnáth, agus is ar an ainniseoir sin a leagtar an milleán ar fad.'

'Hmm,' arsa Saoirse. 'Bhfuil sé sin cothrom?'

'Cothrom? Ní leis an gcothromaíocht atáimid ag plé anseo ach leis an dlí.'

'Right!' arsa Saoirse. 'Sea! Bhuel, buail isteach nuair a bhíonn seans agat.'

'Déanfaidh, ambaiste,' arsa Máirtín. 'Slán, a chailín. Tabhair aire duit féin amuigh ansin i nDún Dearg Dainséarach.'

Choinnigh Saoirse a chuid focal ina ceann agus í ag tiomáint. Bhí sí leath ag smaoineamh go mbeadh gaiste éigin leagtha ar an mbóthar chun deireadh a chur léi. Thiomáin sí go mall, ag faire amach do phaistí íle nó d'ainmhithe ag dul ar strae. Ach d'éirigh léi an teach a bhaint amach agus í fós in aon phíosa amháin.

Bhí an tráthnóna ag druidim chun deiridh cheana féin, cé go raibh na laethanta ag éirí fada anois. Las sí an tine, toisc go raibh an teach fuar, mar a bhíodh de

ghnáth, thug bia do na cait, agus ansin chuaigh amach
ag siúl, chun dul faoi na gréine a fheiceáil. A seacht a
chlog agus bhí an ghrian ina liathróid mhór dhearg
laistiar den oileán mór. Agus í ag siúl i dtreo na farraige,
d'ísligh an ghrian agus chuaigh as radharc taobh thiar
den oileán dubh. Las an spéir go léir ansin, geal, dearg,
bándearg agus órga. Thit leathsholas ar an bhfarraige
agus ar an ngleann: leathsholas gormliath, iontach ciúin,
a mhairfeadh go ceann leathuair eile nó mar sin go dtí
go mbeadh sé dorcha ar fad.

Síocháin agus áilleacht.

Shiúil sí abhaile go mall. Bhí an samhradh ag teacht.
Sna díoga bhí na sabhaircíní imithe agus cabáiste
Phádraig, fearbáin, peirsil bó, tagtha ina n-áit. Thug sí
magairlín meidhreach faoi deara, ina sheasamh ina aonar
ar bharr chlaí, go stuama agus go gleoite.

Dún Dearg na mbláth.

Bhí Máirtín lasmuigh den teach nuair a d'fhill sí, ag
feitheamh ina charr agus páipéar nuachta á léamh aige.

'Have I got news for you!' a dúirt sé.

Chuaigh siad isteach sa teach agus shuigh cois tine.

'Dhá rud. Dhein punk éigin ó Oifig na nOibreacha
Poiblí scrúdú ar na dealbha sin inniu nuair a bhí tú as
baile,' ar seisean. 'Níl iontu ach cóipeanna de na
bundealbha. Sin a dúradar pé scéal é.' Chuir sé méar ina
bhéal agus dhein í a dhiúl ar feadh soicind. Bhain amach
arís é. 'Measaim féin nach mbíonn tuairim acu. Ach
ligean siad orthu go mbíonn. Agus sin an rud
tábhachtach!'

'What?' arsa Saoirse. 'Tá tú ró-amhrasach ar fad. Ar ndóigh, bíonn a fhios acu an earra fíor nó bréagach a bhíonn i gceist. Ní gá a bheith buartha faoi sin. Measaim.' Dhein sí smaoineamh. 'Ach cén fáth an rúndacht go léir mura raibh aon ní le coimeád faoi cheilt?'

'Tagaim go dtí Pointe a Dó,' arsa Máirtín. 'Ghlaoigh Pilib orm.'

'Gosh!' arsa Saoirse.

'Níor shroich an Cigire go fóill é,' arsa Máirtín. 'Tá sé fós sa Jumbo, *First Class*, ag slogadh siar an champagne agus ag ithe bradán deataithe as Timbuktu agus … seacláidí lámhdhéanta.'

'Cad a dúirt Pilib?' Dhein Saoirse iarracht a aire a dhíriú ar Phointe a Dó.

'D'admhaigh sé go raibh gnó ar siúl aige féin agus Patsy. Easpórtáil na ndealbh sin. Ise a dhein iad, le cabhair ó Danny agus iad.'

'Right!'

'Dúirt sé go raibh gach rud "os cionn boird" mar a déarfá. Ach ceapaim nach raibh ceadúnas aige iad a easpórtáil. Bheadh sé sin ag teastáil fiú amháin do chóipeanna, nó do rud ar bith.'

'Oh, right,' arsa Saoirse.

'Agus b'fhéidir nach raibh a fhios acu siúd a cheannaigh iad go raibh siad bréagach.'

'Ar dhúirt Pilib sin leat?'

'Níor dhúirt, ar ndóigh. Mo thuairim féin. Dúirt sé rud éigin eile, áfach.'

'Cad é sin?'

'Go raibh gaol pearsanta idir Patsy agus Seán Ó Briain.'

'Seán!'

'Do chomharsa bhéal dorais.'

'Cén saghas gaoil?'

'Cén saghas a cheapann tú féin?' arsa Máirtín.

Níor labhair Saoirse ar feadh tamaillín.

'Fear dathúil is ea é,' a dúirt sí. 'Agus ...'

'Gnéasach,' arsa Máirtín.

D'admhaigh sí go raibh an ceart aige.

'Cad a dhéanfaimid anois?'

'Is dócha go bhfuil sé chomh maith againn focal a bheith againn le Seán!' arsa Máirtín. 'Ar mhaith leat teacht go dtí an teach tábhairne liom, a chroí?'

'Ba mhaith,' arsa Saoirse.

'Ní bheidh sé sin riachtanach,' arsa Méiní.

Bhí sí ina seasamh sa doras, gunna beag ina lámh aici.

'Fanaigí díreach san áit ina bhfuil sibh nó marófar sibh.'

D'fhan siad san áit ina raibh siad.

'Lámha in airde,' arsa Méiní.

Chuir siad a lámha in airde.

'Anois, siúlaigí amach go dtí an carbhán,' ar sise.

Shiúil siad amach, a lámha in airde acu. Thosaigh na cait ag screadaíl. Thug Méiní cic do Chriomhthan agus rith Sayers amach as an teach, ag caoineadh.

'Isteach sa charbhán libh anois!' arsa Méiní.

Chuaigh siad isteach ann. D'fhan sise lasmuigh. Leag sí uaithi an gunna ar feadh soicind agus chuir an doras faoi ghlas.

'Jesus! Cad tá sí chun a dhéanamh?' arsa Máirtín.

'Bhfuil fuinneog ar bith is féidir a oscailt?' arsa Máirtín.

Bhreathnaigh Saoirse timpeall. Thriail sí na fuinneoga. Níorbh fhéidir ceann ar bith a oscailt.

'Tá sé sin i gcoinne an dlí,' arsa Máirtín. 'Ba ceart go mbeadh fuinneoga is féidir a oscailt ar gach carbhán, agus doras breise freisin. Ach níl ceachtar acu ar an seanrud seo. Dá mbeadh lucht pleanála ag déanamh a gcuid gnó i gceart bheimis in ann éalú as an rud seo. Ach lucht pleanála an chontae seo!'

'D'fhéadfaimis fuinneog a bhriseadh,' arsa Saoirse.

'Chloisfeadh sí é,' arsa Máirtín.

Bhí Méiní ag caitheamh íle nó peitreal ar an gcarbhán anois.

'Ar an lámh eile de,' arsa Máirtín agus é ag breathnú ar Mhéiní ag iarraidh toitín á lasadh, 'b'fhéidir gur fiú dul sa seans.'

Bhí deacrachtaí ag Méiní lasán a lasadh. Bhí deacrachtaí ag Máirtín fuinneog a bhriseadh.

'Tá a fhios agam!' arsa Saoirse. 'Dealbh!'

Bhí seomra na ndealbh fós oscailte. Tharraing sí an dealbh is lú amach – cloch bheag Oghaim. Thóg Máirtín í agus sháigh i gcoinne ceann de na fuinneoga é. Bhris sé go héasca í.

Chuala Méiní an torann. Rith sí timpeall go dtí cúl an charbháin, an gunna ina lámh aici.

Díreach ag an nóiméad sin, séideadh feadóg.

'Na gardaí,' arsa Máirtín, 'bail ó Dhia orthu!'

Chuala Méiní an fhead freisin. Chas sí agus sheas mar a bheadh sí faoi gheasa, gan cor aisti, gur thosaigh na gardaí ag réabadh as na gluaisteáin. Bhí slua mór acu ann, gardaí nár aithin Saoirse, ná fiú Máirtín, agus an Cigire Ó Muircheartaigh ar a dtús. Is air a dhírigh Méiní a gunna.

'Leag uait an gunna,' a dúirt an Cigire de ghuth ard údarásach.

Níor dhein Méiní faic.

'Leag uait é,' a dúirt sé arís.

Thug Méiní céim ina threo. Scaoil an Cigire urchar léi. Lig Saoirse scread. Thit Méiní ar an talamh marbh.

'Níorbh é Seán Ó Briain a ainm ceart in aon chor,' arsa Máirtín. Bhí sé féin, an Cigire, garda eile ón stáisiún sa Daingean, Saoirse agus Jessica ina suí sa chistin i mbothán Shaoirse. 'Séamas Ó Briain ab ainm dó i ndáiríre.'

'Séamas Ó Briain!' arsa Saoirse.

'Bhí sé mór le máthair Phatsy lá den tsaol,' a dúirt Máirtín leis an gCigire.

'An ndeir tú liom é,' arsa an Cigire go sceiptiúil.

Níor bhac Máirtín leis.

'Nuair a bhíodh sé ina chónaí le Melissa McCarthy, chuir sé isteach ar Phatsy. Dhein sé í a éigniú. Níor dhein sise faic faoi ag an am. Ansin scar Melissa agus Séamas. D'athraigh sé a ainm agus phós sé Méiní bhocht. Dhein sé dearmad ar a stair phearsanta féin agus níor cheistigh sí é faoi.'

'Nach ait sin?' arsa Saoirse. 'Smaoinigh nár cheistigh Méiní faoina ainm é fiú amháin! Ní foláir nó go raibh sí go mór i ngrá leis.'

'Tarlaíonn sé,' arsa Máirtín. 'Is dócha nár theastaigh uaithi an iomarca ceisteanna a chur. Cá bhfios?''

'Agus ag Méiní a bhí an gnó – an teach tábhairne agus an fheirm,' arsa Saoirse. 'Bhí sí saibhir.'

'Bhí. Seans go raibh gnó eile ar bun acu freisin. Drugaí.'

'Níl aon chruthú go raibh,' arsa an Cigire.

'Níl. Ach tá a lán den saghas sin ruda thart.'

'Béaloideas,' arsa an Cigire. 'Dá mbeadh oiread *hash* sa cheantar seo agus atá de phiseoga faoi bheimis go léir ar ár sáimhín só.'

'Ar aon nós,' arsa Máirtín, 'bhí leis go dtí gur tháinig Patsy anseo chun cur fúithi. Agus bhí leis ansin freisin ar feadh tamaill. Níorbh fhada gur aithin sí é, gan amhras.'

'Agus bheartaigh sí a rún a scaoileadh?'

'Níor dhein, ar dtús. Mhaith sí dhó an rud a tharla. Ach ní raibh sé sásta an scéal a fhágáil mar a bhí sé. Thosaigh sé ag tabhairt cuairte uirthi, ag cur isteach uirthi. Is ansin a bheartaigh sí an rún a scaoileadh agus gearán a dhéanamh leis na gardaí.'

'Agus is ansin a dhein sé í a mharú?'

Chroith sé a cheann.

'Méiní a mharaigh í.'

'Sin a deir Seán?'

'Ní hamháin sin. Thángthas ar theileafón póca Phatsy. Bhí teachtaireacht ó Mhéiní air. Rinne sí coinne le Patsy an lá a dúnmharaíodh í.'

'An raibh a fhios ag Seán gurbh ise a dhein é?'

'Ní raibh, ar dtús. Ach níorbh fhada go raibh a fhios aige. Dhein sé iarracht Méiní a chosaint ach níorbh fhéidir é a dhéanamh. Bhí sí ag dul as a meabhair.'

'An ise a mharaigh Jason?' a d'fhiafraigh Jessica.

'Sea, faraor. Ceapann Seán gur scaoil sí caora amach ar an mbóthar ionas go sciorrfadh an gluaisteán. Rud a dhein, áisiúil go leor di siúd. Ní féidir a bheith ag brath ar chaora ach dhein an leaid seo an beart!'

Níor dhúirt Jessica faic.

'Dhein sí é toisc go raibh a fhios ag Jason cad a tharla. Bhí Patsy tar éis an scéal ar fad a insint dó. Agus bhí a fhios sin ag Méiní, de réir dealraimh.'

'Oh, dear! Oh, dear!' arsa Jessica. Chuir Saoirse lámh thart uirthi. Bhí a fhios aici go raibh cuid den scéal nach raibh á insint ag Máirtín, ar mhaithe le Jessica.

'Bhí baint ag an Jason seo le Patsy freisin ar shlí éigin?'

An Cigire, ag cur a chos móra sa chac.

'Cairde ba ea iad,' arsa Máirtín. 'Nach bhfuil an ceart agam, a Jessica?'

Bhreathnaigh an Cigire ar Jessica, amhail is nach bhfaca sé riamh cheana ina shaol í.

'Bhí siad cairdiúil lena chéile,' arsa Jessica.

'Tá an sága críochnaithe,' arsa Máirtín. Bhí sé féin agus Saoirse i dteach tábhairne sa Daingean. Bhí páipéar nuachta oscailte ar an mbord os a gcomhair amach. 'Native Irish Speaker Finally Run to Ground' an ceannteideal a bhí air. Thosaigh Máirtín ag léamh na tuairisce:

'Méiní O'Brien, owner of the famous Kerry pub "An Naomhóg", committed a gruesome double murder on the Dingle Peninsula, and then paid the price. The Black Bitch of Dingle, as she is known locally, was a descendent of Peig Sayers. In a dramatic shoot-out, more reminiscent of the Wild West that of West Kerry, D.I. O'Moriarty, defending himself and several other members of the Garda Síochána, fatally wounded O'Brien.'

'Ní raibh a fhios agam go raibh gaol idir Méiní agus Peig Sayers,' arsa Saoirse.

'Seans nach raibh gaol ar bith eatarthu,' arsa Máirtín. 'Déarfadh na diabhail sin sna nuachtáin rud ar bith chun dímheas a chaitheamh ar Mhéiní anois. "Favourite Wife of Genghis Khan." "Daughter of Peig Sayers." "Hitler's Babe." Aon rud chun fuath a tharraingt ar an mbean bhocht.'

'Agus cad a dhéanfar le Seán?' arsa Saoirse.

'Faic, a déarfainn.'

'Tá sé ciontach ar bhealach,' arsa Saoirse. 'Agus táim cinnte go bhfuil an ceart agat maidir leis na drugaí. Ní bheadh ionadh orm dá mbeadh sé sáite ar bhealach éigin sa ghnó beag suarach sin atá ar bun ag Pilib File.'

'Déarfainn go bhfuil an ceart agat,' arsa Máirtín. 'Tá an scéal casta, agus níl sé réitithe go fóill. Ach mar a dúirt mé, is ar dhuine amháin a chuirtear an milleán. Sin an córas atá ann. Agus is ag Méiní a bhí an gunna.'

'Gunna a fuair sí ó Philib. Tá seisean ciontach leis, nach bhfuil?'

'Bhí Méiní dainséarach. Tá sí as an tslí. Sin an rud is tábhachtaí, dar liom. Mar gharda, braithim gurb é an dualgas atá orm ná na daoine dainséaracha a choimeád as an gcomhluadar. Beidh coireanna á ndéanamh an t-am ar fad. Ach a fhad is a bhíonn ar chumas fhormhór na ndaoine dul i mbun a ngnó gan faitíos roimh, bhuel ...'

'Fealsúnacht chiallmhar, is dócha,' arsa Saoirse. 'Agus cad tá i ndán duit anois? Ardú céime?'

Dhein sé gáire beag searbh.

'An raibh tú riamh i dToraigh?' a d'fhiafraigh sé di.

'Ní raibh,' arsa Saoirse.

'Fuair mé an litir seo ar maidin,' arsa Máirtín agus litir á tarraingt as a phóca aige. 'Aistreofar go Toraigh mé i ndeireadh na míosa.'

'Gosh!' arsa Saoirse. 'Cuireann sé iontas orm go bhfuil stáisiún ag na gardaí i dToraigh.'

'Níl,' arsa Máirtín, ' ach beidh i gceann míosa.' Lig sé osna. 'Agus gan gá ar bith leis. Cé a dhéanfadh coir i dToraigh? Ní féidir éalú ón áit.'

'Déanann daoine coireanna agus iad i bpríosún,' arsa Saoirse. 'Agus nach bhfuil eitleán nó héileacaptar nó rud éigin acu anois?'

'Bhfuil naomhóg féin acu san áit sin?' arsa Máirtín go héadóchasach.

Ní raibh eolas ar bith ag Saoirse ar Thoraigh ach an méid a chuala sí san amhrán 'Báidín Fheidhlimidh'. Rith línte an amhráin trína ceann ach bheartaigh sí gan iad a chanadh. Leag sí lámh ar lámh Mháirtín.

'Níl sé sin cothrom.'

'Níl,' arsa Máirtín. 'Cad a dúirt mé leat? Níl an dlí cothrom.' Chuir sé a lámh eile ar a lámh sise agus bhreathnaigh isteach ina súile. 'Níl, faraor. Níl an dlí cothrom agus níl an saol cothrom agus níl dada cothrom, nó faic mar a deir siad anseo. Níl rud ar bith cothrom, mar a deir siad i dToraigh.' Dhein Saoirse gáire beag. 'Ach anois agus arís tarlaíonn rudaí deasa mar sin féin. Nach dtarlaíonn?'

Chuimhnigh Saoirse gur dhúirt sí le Marcas go mb'fhéidir go rachadh sí go dtí an Íoslainn leis. Bheadh uirthi an t-eolas sin a roinnt le Máirtín ach b'fhéidir nárbh é seo an t-am cuí.

Thóg Máirtín ina bhaclainn í agus thug póg fhada di. 'A chailín,' a dúirt sé. 'A chailín! A chailín! A chailín!'

Ní raibh a fhios ag Saoirse a thuilleadh cé acu a rachadh sí go dtí an Íoslainn nó nach rachadh. B'fhéidir gurbh fhearr an inspioráid a bheadh ar fáil i dToraigh, ó thaobh na healaíne de.

Bhí sé chomh fada sin ó verb

a thuilleadh = any more

dea - gléasta

lig sé cuithi = she pretending

lig sé síos = he let her down

×8